D0491986

Tanith Lee

Das Gesetz des Wolfturms

Tanith Lee

Das Gesetz des Wolfturms

Aus dem Englischen von
Katarina Ganslandt

C. Bertelsmann

Der C. Bertelsmann Jugendbuch Verlag gehört zu den
Kinder- & Jugendbuch-Verlagen in der Verlagsgruppe Random House
München Berlin Frankfurt Wien Zürich

www.bertelsmann-jugendbuch.de

Umwelthinweis:
Dieses Buch wurde auf chlorfrei gebleichtem Papier gedruckt

Gesetzt nach den Regeln der Rechtschreibreform

1. Auflage 2003

Die englische Originalausgabe erschien 1998 unter dem Titel
»Law of the Wolf Tower« bei Hodder Children's Books

Übersetzung: Katarina Ganslandt
Lektorat: Yvonne Hergane
Umschlagbild: ZEFA, Düsseldorf
Umschlaggestaltung: Klaus Renner
Ht · Herstellung: ih
Satz: Uhl+Massopust, Aalen
Druck: GGP Media, Pößneck
ISBN 3-570-12629-3
Printed in Germany

Inhalt

Gesetze sind dazu da, gebrochen zu werden

Volksweisheit

Dieses Buch

Ja.

Ich habe es gestohlen. Dieses Buch.

Wieso ich es gestohlen habe, weiß ich nicht. Vielleicht weil es… schön aussah und weil für mich seit Jahren nichts schön war. Na ja, jedenfalls nicht sehr viel.

Es lag in ihrer Schreibschatulle, aus der sie uns – meistens mich – gelegentlich ein Blatt Seidenpapier oder einen Bogen steifes Pergament holen lässt. Darauf kritzelt sie dann ein paar dümmliche Zeilen schauderhafter »Poesie«. Oder sie malt grässliche Bilder, die aussehen wie schmutzige Waschlauge aus dem Dienerinnentrakt, in die jemand etwas hineingekippt hat – Limonensaft oder Marmelade. Und dann müssen wir alle applaudieren. »Oh! Wie überaus geschickt Sie sind, Dame Jadeblatt. Welch überragendes Talent!« Weil sie königlich ist. Und wir nicht. Oh nein. Wir würden *so* etwas Fabelhaftes *niemals* zustande bringen.

Offen gestanden: Ich könnte mit ziemlicher Sicherheit sogar noch ein interessanteres Muster *spucken.* Und was die Verse betrifft…

Hier ist zum Beispiel der neueste:

Ich schwebe blütenblattgleich durch die Luft
und die Rosen verneigen sich.

Blütenblattgleich – ich denke bei ihr eher an ein Nilpferd im Flussbett. Nicht dass sie dick wäre – Dame Iris ist dick, aber sie ist gleichzeitig elegant und anmutig. Jadeblatt ist schlank. Aber wie sie sich bewegt…

Und wenn die Rosen sich verneigen, dann doch wohl halb ohnmächtig vor Angst und flehend: »Lasst nicht zu, dass mich dieses riesige Ding da zertrampelt!«

(Da fällt mir ein, ich sollte hinzufügen, dass Nilpferde durchaus anmutig sein können – unter Wasser. Außerdem hat mir noch kein Nilpferd seinen kleinen verzierten Rohrstock so fest auf die Handflächen geknallt, dass sie bluteten. Was Dame Jadeblatt so oft getan hat, dass ich mit dem Zählen nicht mehr nachkomme.)

Falls du dieses Buch gefunden hast und es jetzt liest, muss ich dich dann eigens darauf hinweisen, mit niemandem darüber zu sprechen? Aber wir wollen hoffen, dass du es ohnehin nicht liest. Du bist ja nur eine Fantasievorstellung.

Da hämmert gerade jemand aus Fleisch und Blut gegen die Tür, ein Zeichen, dass ich gehen und etwas viel Bedeutenderes tun muss, nämlich Dame Jadeblatt aufwarten.

Ich schreibe rasch noch meinen Namen hin. Dann weißt du, dass ich es bin.

Claidi.

Mitternacht. (Ich habe eben die Hausuhr gehört.) Der Himmel ist von so einer Art dickem, flockigem Schwarz, milchig-trüb vor lauter Sternen.

Grässlicher Tag. Daisy hat eine Vase zerbrochen, worauf Dame Jade sie so lange mit Ohrfeigen traktierte, bis Daisy auf dem Fußboden kauerte. Danach versetzte ihr Dame Jb mit ihrem seidenbeschuhten Fuß noch Tritte. Daisy hat jetzt überall blaue Flecken und soll neun Abende lang kein Abendessen im Dienerinnentrakt bekommen. Pattoo und ich haben von unserem Essen etwas in eine Serviette gewickelt und es Daisy gegeben, bevor wir zu Bett gingen. Pattoo und Daisy schlafen schon.

Ich bin so müde, ich muss auch Schluss machen.

Absolut nichts Schreibenswertes. Sieben Tage sind seit meinem letzten Eintrag vergangen. Aber hier passiert nie etwas.

Nein, falsch. Gestern fegte vom Ödland her ein Staubsturm über uns hinweg, und die Sklaven stürzten los, um die Gebläse anzuwerfen und die Lamellendächer über die kostbarsten Teile des Gartens zu ziehen. Im Haus wurden sämtliche Fenster und Türen geschlossen und alle fühlten sich eingepfercht und waren schlecht gelaunt.

D Jb bekam einen Wutanfall. Sie schrie und kreischte und warf mit Sachen. Danach war ihr schlecht und sie musste ruhen und wir legten ihr kühle, mit parfümiertem Wasser getränkte Tücher auf die Stirn. Sobald ihr etwas davon in die Augen tropfte, brüllte sie gleich wieder los. Wir hatten alle Kopfschmerzen – aber *uns* gibt natürlich niemand kühlende Tücher.

Es ist unerträglich hier.

Zu schreiben gibt es nichts.

Außer dass Pattoo und ich von der Aufseherin der Dienerinnen daran gehindert wurden, Essen für Daisy beiseite zu schaffen. Sie hat geweint vor Enttäuschung (und Hunger), aber jetzt ist sie eingeschlafen.

Vielleicht sollte ich erwähnen, dass wir drei uns eine Winzkammer im Dienerinnentrakt teilen, die mit drei schmalen Matratzen, einem Spiegel und einer Truhe ausgestattet ist. Das sind nicht unsere Sachen, musst du wissen, sondern Dinge, die uns – wie unsere Kleidung – lediglich *geliehen* werden. Von Dame Jb und ihrer Mutter, der Prinzessin Shimra.

Manchmal stehlen wir zwei, drei Blumen aus dem Garten und stellen sie in einem Marmeladenglas in das schmale Fenster. Aber Blumen halten sich ja nie lange.

Nichts zu schreiben.

Eigentlich war es ziemlich idiotisch, halte ich mir streng vor, dieses Buch so raffiniert und unbesonnen gestohlen zu haben, wenn ich jetzt doch nichts hineinschreibe.

Gibt es Neuigkeiten? Hm. Heute fand das Ritual der Rotvögelfütterung statt.

Wir sind zur Rotvögelvoliere gegangen, einem Vogelhaus voller Gefieder, Gezwitscher und Geträller. Die Tiere flattern frei zwischen den Bäumen herum, die aus dem Boden bis unter das Glasdach wachsen. Sie sehen aus – die Vögel meine ich – wie fliegende scharlachrote und purpurne Blüten, aber ihr Tschilpen kann ohrenbetäubend laut sein, und außerdem bekleckern sie alle mit ihrem Kot, trotz der Schirme, die wir pflichteifrig über die Häupter unserer Herrinnen halten.

Die Vögel wurden heute mit besonders gefärbten Samenkörnern gefüttert, die zu ihrer Gefiederfarbe passen oder sie noch verstärken.

Ich mag die Vögel sehr, aber ihr durchdringender Geruch ist ziemlich überwältigend.

Später brach dann ein normales Gewitter los, mit ungeheuerlichen Donnerschlägen, als würden im Himmel riesige Bleche durch die Gegend geschleudert. Dame Jb ängstigte sich lautstark wegen des Donners und der Blitze, aber ich lief davon und sah mir alles von einem der oberen Fenster an. Nachdem ich zu *ihr* zurückbeordert worden war, wollte sie wissen, wo ich gesteckt hätte, gab sich gleich selbst eine Antwort – sie irrte sich –, schimpfte mich ein faules Stück und schlug mir (wie erwartet) mit ihrem Rohrstock auf die Hand. Diesmal aber nur über eine Hand, die linke, sodass ich noch schreiben kann.

Ach ja, und Daisy, die jetzt beim Abendessen immer extra viel in sich hineinstopft, um die neun verpassten Mahlzeiten wettzumachen, hat sich heftigst auf dem Boden des Dienerinnentrakts erbrochen, der doch eben erst gewischt worden war.

Falls du das alles liest (und es dich nicht zu Tode langweilt, so wie es mich zu Tode langweilt, und du das Buch nicht längst in den Abfall oder ins Feuer geworfen hast) – falls du es also wirklich liest, würde ich gern wissen, was dich von dem, was ich dir erzählen könnte, interessieren würde.

Denn womöglich lebst du ja gar nicht hier im Haus oder im Garten, sondern kommst ganz von woandersher. Sehr wahrscheinlich ist das nicht, aber du bist schließlich nicht real, sondern nur eine wahnsinnig faszinierende Fantasiegestalt. Ausgedacht.

Dann nehme ich jetzt einfach mal an, du würdest brennend gerne etwas über mich wissen … ja?

Oder lieber doch nicht.

Ich bin eine Art Waise. Tot sind meine Eltern zwar nicht – obwohl, möglicherweise sind sie es inzwischen. Ein trostloser Gedanke. Aber ich kann dabei noch nicht einmal besonders viel empfinden, weil ich sie nie gekannt habe.

Es gibt hier so viele Gesetze und Rituale. Das Leben im Haus und im Garten wird nur von ihnen beherrscht. Was könnte man hier sonst auch tun? Aber diese Gesetze und Rituale werden durch und durch ernst genommen. Sie sind unumstößlich. Und wenn man eines nicht mit all dem gebotenen Respekt befolgt – oder einem der hirnrissigen Gesetze des Hauses zuwiderhandelt –, wird man bestraft.

Manchmal sind es nur kleine Fehler und die Strafen sind nicht so schlimm. (Nehmen wir an, man versäumt es, beim Kerzenritual auch wirklich jede einzelne Kerze anzuzünden, oder tut es in der falschen Reihenfolge. Dann muss man vielleicht bloß ein paar Stunden im Schwarzen Marmorgang stehen oder etwas in der Richtung – obwohl man manchmal noch zusätzlich von seiner Herrin gezüchtigt wird.) Missachtet man aber eines der wichtigen Rituale oder bricht eherne Gesetze, sind die Strafen drakonisch. Und die allerschlimmste Strafe ist natürlich die Verbannung ins Ödland.

Das ist die Todesstrafe. Bestenfalls – *sofern* man es überlebt – ein wahr gewordener Albtraum. Die Hölle auf Erden.

Das Ödland ist der schlimmste Ort der Welt.

So heißt es.

Ständig wird betont, wie dankbar wir dafür sein sollen, hier geboren worden zu sein, im Haus, im Garten, in diesem Paradies auf Erden und nicht dort draußen, im Ödland. Ich kann mich noch erinnern, wie sie es mir einhämmerten, als ich noch ein Kind war, ein Baby, das nach Mutter und Vater schrie. Waise und Dienerin einer (grausamen) Herrin im Paradies zu sein, sei allemal besser, als im Ödland zu vegetieren.

Das Klima dort ist unvorstellbar. Weiß glühende Hitzewellen, Eiseskälte, Steinregen, tosende Stürme, die über das trockene, dürre Land hinwegfegen. Gruselige Gebirge aus schwarzem Fels türmen sich auf, und auch die Staubstürme, die manchmal über den Garten hinwegziehen, entstehen dort. Im Ödland hat man immer Hunger und Durst. Das Wasser ist giftig. Nichts wächst dort, und wenn doch, dann sieht es grauslich aus und schmeckt widerwärtig.

Kein Wunder, dass die Menschen und *Geschöpfe*, die dort draußen überleben, sonderbar und gefährlich sind. Unholde, Umnachtete und Ungeheuer treiben da ihr Unwesen.

Von den höchsten Türmen des Hauses kann man, vorausgesetzt man ist bereit, hunderte und aberhunderte von Stufen zu erklimmen (wie ich es getan habe), einen Blick auf das werfen, was sich gleich jenseits der befestigten Gartenmauer befindet. Das muss das Ödland sein. Aber viel gibt es nicht zu sehen. Lediglich eine Art bedrohlich schimmernde Verschwommenheit. Ein fahler Schatten.

Einmal ist ein Löwe in den Garten eingedrungen. Eine Löwenbestie aus dem Ödland. Das geschah in dem Jahr, bevor ich geboren wurde. Es war ein hässliches, mörderisches Monster, aus dessen Maul, wie es heißt, Flammen schlugen. Also wurde es getötet.

Aber weshalb erzähle ich so viel von alldem, von dieser Außenwelt, die ich noch nicht einmal gesehen habe?

Weil meine Eltern eines der allerheiligsten Gesetze gebrochen haben. (Welches, weiß ich nicht.) Sie wurden unverzüglich ins Ödland verbannt.

Ich kann nicht einschlafen. Trauben riesiger, bläulich weißer Sterne glühen am Himmel.

Morgen findet das Ritual der Anpflanzung der Zweitausendsten Rose statt.

Wir müssen besonders früh aufstehen, noch vor dem Morgengrauen. Ich fühle mich merkwürdig schuldig, weil ich glaube, dass ich aufhören werde, in dieses Buch zu schreiben. Mir wird dabei klar, wie respektlos ich bin, gegenüber dem Buch meine ich, indem ich es erst stehle und dann durch das Hineinschreiben unbrauchbar mache. Und – noch schlimmer – indem ich es jetzt aufgebe.

Tja, was soll ich sagen? Es tut mir Leid, falls du bis hierhin mitgelesen hast. Aber das hast du ja sowieso nicht.

Etwas UNGLAUBLICHES, etwas Undenkbares und Unmögliches ist passiert!

Ich muss meine Gedanken ordnen. Mein Kopf fühlt sich an, als würde er rotieren, und in mir vogelfliegt-flattert mein Herz. Ich muss immer wieder laut herauslachen.

Ich bin nicht in unserer Kammer. Ich bin in einen anderen Raum hinaufgestiegen. Hier sitze ich, aber in mir drin hüpft und dreht sich alles. Wo soll ich bloß mit dem Erzählen anfangen?

Am besten gehe ich ganz zurück, zurück zum heutigen Morgen, und beginne dort.

Aufregung aus der Luft

Der Garten erstreckt sich vom Haus aus viele Meilen nach allen Richtungen.

Wir gingen gemessenen Schrittes über den grünen, kurz geschorenen Rasen, Pattoo, Daisy und ich. Und dann stiegen wir langsam die zahllosen moosüberzogenen Stufen hinunter, die von bemoosten Statuen gesäumt werden. Die Gärtner halten alles in perfekter Ordnung, und die Sklaven bedienen all die schlauen Apparaturen, die den Garten bewässern und düngen. Bei kalter Witterung wird der Garten sogar beheizt, und zwar mithilfe eines Systems unterirdischer Öfen und Wasserleitungen, das dem im Haus ähnelt.

Der Garten wird jedoch nicht nur instand gehalten, sondern auch künstlerisch gestaltet, um die königlichen Herrschaften zu erfreuen. Hier und da gibt es Stellen, die sogar ein wenig überwuchert aussehen, oder Pavillons, die leicht verfallen wirken. Doch das Überwucherte wird sorgfältig auf genau das richtige Maß der Verwilderung zurechtgestutzt und die Ruinen sind sauber und von kletterdrahtgestütztem Efeu umrankt. Selbst der Verfall wird hier peinlich genau geplant und kontrolliert.

Das Haus, das das Herzstück des Gartens bildet, kam jedes Mal in Sicht, wenn wir auf der Treppe nach links abbogen. Ich beschreibe es dir rasch. Es ist ein Terrassenbau mit

Säulen, ganz in Weiß und Rosa gehalten, und mit abfallenden, dunkelgrün und goldgedeckten Dächern.

Der Himmel über uns war, durch das Blattwerk betrachtet, so atemberaubend blau, dass er zu singen schien. Die Art von Himmel, die einen auf etwas Erstaunliches und Wunderbares hoffen lässt – das erfahrungsgemäß nie eintrifft.

»Jetzt beeilt euch. Los!«, keuchte Pattoo. Sie ist immer ein einziges Nervenbündel. Weil sie es allen recht machen möchte. Eigentlich vernünftig. Sie wird selten gezüchtigt.

Aber Daisy jammerte: »Ich kann nicht schneller. Ich habe schon etwas von diesem Ekelzeug verschüttet. Meinst du, das fällt ihnen auf?«, fügte sie, an mich gewandt, hinzu.

»Hmm.«

Vielleicht nicht. Es gibt um die zwanzig Ritualöle, die zu jeder Sonderanpflanzung im Garten mitgebracht werden müssen und die allesamt extrem parfümiert und klebrig sind.

Der Ölstand in Daisys Kanne war auffallend niedrig, und auf ihrem Kleid prangte außerdem ein Fleck, dort wo der größte Teil des Öls hingespritzt war.

(Heute waren wir melonengrün gekleidet, passend zu Dame Jadeblatts dunkelgrünem Kleid. Und unser Haar war blassgrün gepudert. Die Herrinnen verlangen meistens von ihren Dienerinnen, sich ihnen in der Farbwahl anzugleichen. Vor jeder Feierlichkeit erhalten wir entsprechende Befehle. Die Kleider sind auch nicht sonderlich bequem. Seit etwa einem Monat sind eng anliegende, knöchellange Etuikleider aus Seide in Mode, die an sich nicht übel aussehen, wenn man nicht gerade füllig ist (Pattoo ist ziemlich füllig). Aber man kann sich darin nur mit winzig kleinen Trippelschritten fortbewegen, weil man sonst a) das Kleid zerreißt oder b) auf die Nase fällt.

Pattoo und ich rubbelten mit unseren Schmucktüchern aus Gaze an Daisys Etuikleid herum. Das machte alles noch schlimmer.

»Stell dich hinter uns«, riet ich ihr. »Dann fällt es ihr vielleicht gar nicht auf.«

Aber ich war mir ziemlich sicher, dass Jadeblatt den Fleck bemerken würde.

Wir trippelten mühsam weiter.

Die Sonne brannte heiß und um uns herum hingen köstliche Duftschwaden von den Blüten pulsierend in der Luft. Kunstvoll gestaltete Wälder und Sträucher strebten wie Wellen dem glitzernden Fluss entgegen.

Ehrlich gesagt ist es hier wirklich schön. Ich meine, zum Anschauen. Und für die königlichen Herrschaften ist es sicher auch schön, hier zu leben.

Am Ende der moosbewachsenen Stufen liegt hinter vergoldeten Gitterstäben das Löwenhaus. Es ist weitläufig und verschachtelt und die gesamte Anlage ist riesengroß. Aber meistens halten sich die Hauslöwen in Sichtweite auf. Anscheinend legen sie sich gerne an Stellen, wo man sie bewundern kann. Sie spielen, schlafen, sonnen sich und sind sehr friedfertig. Manchmal werden sie sogar an juwelenbesetzten Leinen von den königlichen Herrschaften ausgeführt und mit Süßigkeiten gefüttert.

Die Löwen machen einen zufriedenen Eindruck, ebenso wie die Hausnilpferde und überhaupt alle Tiere hier. Sie müssen nie jagen oder kämpfen, weil für alles gesorgt wird. Sie bekommen sogar von Sklaven das Fell gebürstet. Trotzdem werden es von Jahr zu Jahr weniger. Selbst zur Fortpflanzung sind sie zu bequem.

Als Kind habe ich mich oft gefragt, ob diesen Tieren irgendetwas fehlt. Ich denke schon – natürlich.

Über die Stufen aus Marmor gelangten wir zur nächsten Terrasse, wo in Becken mit goldenen Fischen und Wasserlilien Springbrunnen plätschern.

Unterhalb davon liegt der Rosenweg.

Sein Duft ist überwältigend, er macht einen ganz schwindlig. Von allen Seiten ranken Rosen empor, an Bögen, stufig angelegten Hecken und Böschungen. Sie leuchten in sämtlichen Schattierungen, von Rot und Violett bis hin zu Gelb und Weiß.

Gemeine Dornen zerkratzten uns wie Krallen, als wir hindurchgingen, und Daisy hätte um ein Haar den Rest ihres Öls verschüttet.

Im Zentrum des Rosenwegs liegt eine große ovale Rasenfläche, auf der ein aus glänzendem Stein gemeißeltes Rosenstandbild steht.

Hier wird die Zweitausendste Rose vor ihrer Anpflanzung zur Betrachtung herumgezeigt.

Natürlich handelt es sich bei dieser Blume um eine höchst erstaunliche und besondere Rose. Die Gärtner züchten sie eigens für dieses Ritual, das alle drei Jahre stattfindet.

Du fragst dich jetzt womöglich, ob inmitten dieses dichten Gewirrs von Rosen überhaupt Platz für eine weitere war. Aber natürlich gehen auch mal welche ein, und andere werden gnadenlos ausgerissen, wenn die Prinzen und Prinzessinnen ihrer überdrüssig sind.

Nicht dass so viele der königlichen Herrschaften zum

Ritual erschienen wären (es ist eines der weniger bedeutsamen). Es war ein heißer Tag, obwohl die Sonne vor gerade mal einer Stunde aufgegangen war.

Wir nahmen unverzüglich unsere Positionen hinter Dame Jb ein. Obwohl es uns Dienerinnen gar nicht erlaubt gewesen wäre, früher zu erscheinen, und etliche auch jetzt noch aus allen Richtungen des Rosenwegs herbeiströmten, schien Dame Jb der Ansicht zu sein, wir hätten uns verspätet.

»Müsst ihr denn immer trödeln?«, schimpfte sie. Wir senkten den Kopf und machten ein angemessen beschämtes Gesicht. Daisy schob sich dicht hinter mich, um den Fleck zu verbergen. »Ihr Schwachsinnigen«, zischte D Jb.

Sie hat ein spitzes Gesicht, das vom Rouge ganz rosig glänzt, und ihr Haar war heute in so einer Art Grünkohlgrün gepudert. Ihre Lippen verzogen sich über ihren scharfen Zähnchen zu einem höhnischen Lächeln.

»Am liebsten würde ich dich ohrfeigen«, herrschte sie mich an.

Ich hob den Kopf und sah ihr in die Augen. Das kann sie nicht ausstehen. Aber sie hasst mich sowieso, auch wenn sie natürlich niemals zugeben würde, etwas so Gewöhnliches wie eine Dienerin zu hassen.

»Glotz mich nicht an«, fauchte sie. Aber da hatte ich den Kopf schon wieder gesenkt. »Ich habe dich so satt, Claidi. Nicht einmal mit Prügel bist du zur Vernunft zu bringen. Ich habe Mami gefragt, was ich mit dir machen soll, und sie meinte, wenn du dich nicht zusammenreißt, lässt sie dich ordentlich durchpeitschen.«

Dann schaute sie an mir vorbei und ihre Schweinsäuglein saugten sich an Daisy fest.

Obwohl ganz in Grün gekleidet, nahm Jadeblatt die Farbe einer zerplatzenden Himbeere an. »Ahhh, du widerwärtiges kleines Biest…«, keifte sie. »Das Kleid – du hast es ruiniert!«

Etliche der Herrinnen drehten sich zu uns um.

Aus der Schar der Damen erklang Prinzessin Shimras kühle Stimme: »Nicht aufregen, Jadeblatt. Du bekommst sonst bloß wieder Migräne.«

Einige Prinzessinnen murmelten besänftigend und wiegten sich dabei hin und her, was sie wie ein grün bepflanztes Beet aussehen ließ.

Jb schnellte schlangenartig zu uns vor.

»Mach dich auf etwas gefasst«, zischelte sie mir zu. »Und du genauso, Pattoo. Ich weiß zwar nicht was, aber du hast sicher auch etwas auf dem Kerbholz.«

Ich hatte vorher schon genug Angst bekommen. Mit einer richtig professionellen Auspeitschung durch den Hausdiener ihrer Mutter hatte sie mir noch nie gedroht. Jetzt wurde mir richtig kalt. Daisy atmete stoßweise und Pattoo war in sich zusammengesunken. Es war so ungerecht. *Sie* hatte doch überhaupt nichts getan.

Doch da brachten die Gärtner feierlich die Zweitausendste Rose in einem vergoldeten Korb herbei und die königlichen Herrschaften beugten sich darüber und stießen spitze Schreie aus.

Als der Korb bei Dame J angelangte, warf auch sie einen Blick hinein.

Was für ein grässliches Bild! Ein puterrot-grünes Scheusal stierte auf die neue Rose hinab, die, für sich selbst betrachtet, schon mehr als abstoßend war.

Die Blume hatte genau die Farbe von Daisys Erbrochenem. Und sah auch aus wie ein hingekleckstes Etwas. Zudem dünstete sie einen Geruch aus, der – selbst durch all die anderen Düfte hindurch – so süßlich war, dass einem davon schlecht werden konnte.

»Hinreißend!«, hauchte D Jb mit zart schmelzender Stimme.

Und das meinte sie zweifellos ernst.

Aah, ich hätte sie umbringen können. Ich hätte es wirklich gern getan, und zwar an Ort und Stelle.

Wir waren ohnehin schon geliefert. Und weshalb? Ich hatte nichts weiter getan, als den Blick zu erheben. Daisy hatte das blöde Öl verschüttet, bloß weil sie dieses alberne Kleid tragen musste. Und Pattoo war einfach nur da gewesen.

Meine Augen brannten. Niemanden überraschte es mehr als mich, als mir zwei riesige, heiße Tränen, schwer wie hart gekochte Eier, über die Wangen kullerten und ins Gras klatschten.

Während ich noch über dieses außerordentliche Ereignis staunte, erhob sich um mich herum solch ein Schreien und Heulen, dass der rosenüberwucherte Weg vor frenetischer, hitziger Aufregung nur so vibrierte.

Und ich war so dämlich zu glauben, sie wären böse auf *mich,* weil ich weinte.

Als ich wieder aufschaute, sah ich, dass es gar nicht um mich ging.

Der Mond ist nicht immer sichtbar. Nachts sind die Wolken manchmal dick wie Strickwolle. Und wenn sich der Mond im Licht des Tages zeigt, erscheint er durchsichtig wie eine Seifenblase.

Jetzt sah ich den Mond ganz deutlich bei Tag und er sah

sehr schön und fremdartig aus. Eine silbern glänzende Kugel mit zarten blassroten Streifen.

Irgendetwas schien von ihm herabzuhängen – vielleicht ein Anker, um am Boden festzumachen, wenn er unterging?

Natürlich ein abwegiger und dummer Gedanke, denn das mit dem Mond funktioniert ja ganz anders. Nein, es war eindeutig nicht der Mond.

Prinzessin Flara greinte: »Ein Überfall! Ein Feind! Zu Hilfe! Rettet uns!«

Panik.

Ich hatte so etwas vor Jahren schon einmal miterlebt, als im Garten plötzlich ein Bienenvolk aus einem Baum ausgeschwärmt war. Die Prinzen, Prinzessinnen, Damen und Herren mit all ihren geschniegelten Sprösslingen waren damals jammernd und laut klagend um ihr Leben gerannt.

Ich war selbst noch ein Kind, etwa sechs, und war einfach im Gras sitzen geblieben und hatte gewartet, bis sich die Bienen von selbst verzogen. Normalerweise stechen sie nicht, wenn man sie in Ruhe lässt.

Aber das jetzt war sicherlich keine Biene. Was war es nur?

Das Wort, das jemand rief, brachte auch keine Klärung.

»Ein Heißluftballon – ein Ballon!«

Und schon stürzten alle davon. Im Schweinsgalopp fegten sie über den Rasen und die Pfade des Rosenwegs entlang. Ich bemerkte, dass zahlreiche Etuikleider bereits aufgeplatzt waren – einige bis zur Hüfte! – und eine Menge klebriges Öl verschüttet wurde.

Ich sah Daisy und Pattoo an. Noch ein paar andere Dienerinnen und eine Hand voll Sklaven waren zurückgeblieben, verängstigt, unentschlossen.

Der »Ballon« flog über uns hinweg und verschwand dann hinter einer Reihe hoher Bäume.

»Wir sollten Dame Jade hinterhergehen«, sagte Pattoo.

»Die Bienen sollen sie holen«, seufzte ich.

Daisy blinzelte. »Und wenn es nun doch ein Überfall …?«

Ein Überfall, aus dem Ödland. Woher sonst?

Eine der anderen Dienerinnen, in geschmackvolle Knitterseide gehüllt, sagte unbehaglich: »Einmal ist ein Wahnsinniger aus dem Ödland in einem *Ballon* über den Garten geflogen und hat glühende Kohlen abgeworfen!«

»Wann war das?« Daisy. Mit weit aufgerissenen Augen.

»Oh … lange her.«

Die Sklaven verschwanden im Laufschritt zwischen den Bäumen. Sklaven und Sklavinnen haben nie viel Freizeit, deshalb sind selbst die kurzen Momente vor einem Überfall oder vor einer Bombardierung mit glühenden Kohlen kostbar für sie.

Pattoo drehte sich um und stapfte schwerfällig hinter D Jb her, die uns allen geraten hatte, uns auf etwas gefasst zu machen.

Daisy sagte widerstrebend: »Dann gehen wir wohl besser …«

Die anderen machten sich ebenfalls auf den Weg, bedrückt und dennoch gehorsam.

Wäre ich geblieben, hätte ich mit einer Bestrafung rechnen müssen (es sei denn, der Überfall wäre geglückt und alle Gesetze wären außer Kraft gesetzt worden) – und ich saß ohnehin schon tief in der Tinte.

In diesem Augenblick drangen vom Haus her Alarmfanfaren und Glockenläuten zu uns herüber.

Wir rannten los.

Ich habe, glaube ich, schon mal gefragt, was dich interessieren könnte. Aber viel habe ich dir nicht erzählt, oder? Dafür entschuldige ich mich.

Ich habe dir zum Beispiel noch nichts von den Hauswächtern erzählt.

Wollte ich wohl nicht.

Als wir die höher gelegenen Rasenflächen erreichten, unsere lächerlichen Etuikleider bis über die Knie hochgezogen (sehr unschicklich), damit sie nicht zerrissen, hatten sich die Wächter bereits überall im Garten verteilt.

Manchmal sieht man tagelang nichts von ihnen. Falls man nicht gerade von seiner Herrin auf einen Botengang in einen Teil des Hauses geschickt wird, in dem sie sich aufhalten. Bei D Jb kommt das selten vor.

Als kleines Kind hatte ich furchtbare Angst vor den Wächtern. Ich glaube, irgendein kluger, wohlmeinender Mensch hatte mir mal geraten, lieber brav zu sein, weil mich sonst die Hauswächter »holen« würden.

Sie sind da, um uns zu verteidigen. In erster Linie natürlich die königlichen Herrschaften. Aber auch die niedrigsten der niederen Ränge, wie Dienstboten und Sklaven. Darüber hinaus bewachen sie bestimmte Bereiche des Hauses, beispielsweise den Debattiersaal und die oberen Etagen, wo die königlichen Herrschaften wohnen. Aber die meiste Zeit halten sie sich in ihrem Wachturm auf, einem der höchsten Türme des Hauses, höher noch als der mit den aberhunderten von Stufen, von dem ich dir erzählt habe.

Die Wächter tragen schwärzestes Schwarz, über Brust und Rücken gekreuzte silberne Riemen und goldene Schulterklappen. Ihre hohen Schaftstiefel sind blank poliert wie schwarze Spiegel, an Spitzen und Hacken ragen spitze Dorne hervor. Ausgerüstet sind sie mit Messern in kunstvoll gearbeiteten Scheiden, mit silberbeschlagenen Gewehren und bestickten Munitionstaschen. Orden bedecken sie wie eine Rüstung.

Diesmal trugen sie auch ihre Kupferhelme mit Visier, auf deren Spitze weitere Dorne sitzen.

Sie sahen aus wie mordlustige Käfer.

Wir kauerten uns hinter eine Rhododendronhecke, aber einer der Wächter fuhr herum und kläffte mit hasserfüllter Stimme: »Rein mit euch, verdammtes Gesocks!«

Daisy stockte der Atem und eine andere Dienerin hörte ich schluchzen. Aber wir waren alle schon verängstigt genug. Und so stürzten wir die Terrassen und Stufen hinauf in Richtung Haus.

Die Wächter zerrten auf schwarzen Geschützlafetten schwarze Kanonen heran.

Ich beobachtete, wie eine Dienerin – Flamingo, glaube ich – ihnen versehentlich in die Quere geriet und einer der Wächter sie so brutal beiseite stieß, dass sie bäuchlings hinfiel.

In Erfüllung ihres Verteidigungsauftrags schreckten sie noch nicht einmal davor zurück, uns zu verletzen. Sie schienen sogar regelrecht darauf aus zu sein. Vielleicht zu Übungszwecken.

Ich duckte mich unter einen schwarzen, schnallenbesetzten Arm hindurch. Pattoo hielt nur mühsam Schritt mit uns. Ich packte sie und schleifte sie mit.

Und da stand auch schon schaumzuckerniedlich das Haus im Sonnenlicht.

Der Ballon schien verschwunden zu sein.

Hatten wir ihn nur geträumt?

Nein, die Wächter zielten mit den Kanonen nämlich alle in eine Richtung. Ich roch Schießpulver.

Ich hatte von derartigen Aktionen schon gehört, aber noch nie zuvor eine gesehen – oder gerochen.

Genau in diesem Augenblick kam über den Wipfeln der Pappeln der Ballon wie ein zierliches Spielzeug in unser Blickfeld geschwebt.

Die Wächter brüllten los. Uns schienen sie vergessen zu haben. Obwohl es sicher selbstmörderisch war, sich jetzt noch im Freien aufzuhalten, blieben wir alle stehen und starrten mit offenem Mund auf die silbrige Blase, die ich irrtümlich für den Mond gehalten hatte.

Hinter den Kristallfenstern des Hauses schoben alle königlichen Herrschaften die Gesichter zusammen (wie in einer Gemüseauslage), rosa, olivfarben und schwarz, und gafften in den Himmel hinauf, nachdem sie solch unwerte Geschöpfe wie *Dienerinnen* weggestoßen hatten.

Ich packte Pattoo wieder am Arm. »Schau!«

»Ich mag nicht«, rief sie und hielt sich die Augen zu. Daisy hatte zu viel Angst, um wegzugucken.

Und mir... ging es genauso.

Dann gab es ein zischendes Geräusch und die Kanonen donnerten los: eine, zwei, drei, insgesamt vier. Welch ein Getöse – um uns herum waberten stinkende Rauchschwaden und Funken sprühten. (Zunder riecht fast ein bisschen nach Mandeln, schoss es mir absurderweise durch den Kopf, so wie Marzipan zum Kuchenbacken...)

Der Ballon geriet ins Trudeln. Eine bildschöne, hoch in den Himmelswipfeln baumelnde Frucht.

Trotzdem schien er noch fahrtüchtig zu sein. Doch plötzlich loderten erneut Flammen auf – oben, wo der Ballon war. Und er kippte zur Seite. Und dann sank er. Er sah so leicht aus, als würde er nichts wiegen. Wie die flaumigen Schirmchen auf den Pusteblumen.

Als er jedoch hinter den Bäumen am Boden aufkam, tat es einen fürchterlichen Schlag. Die Erde bebte. Rauch quoll empor wie ein Gewächs.

Erst jetzt brachen die Hauswächter in Siegesgeschrei aus. Sie jubelten wie nach einem gewonnenen Spiel. »Versenkt!«, »Prima Schuss, Jovis!« und »Der ist hinüber, oder?«

Er

Als wir ins Haus traten, sahen wir alle aufgescheucht herumlaufen. Die Herrschaften jagten durch die Korridore und stießen zusammen, wenn zwei oder mehr aus unterschiedlichen Richtungen kamen. Sie polterten treppauf und treppab, wobei manche strauchelten und hinfielen. Der Lärm, den sie veranstalteten, war beinahe so schlimm wie der von den Kanonen.

Pattoo, Daisy und ich rannten die Treppen zu den Gemächern unserer bösen Herrin hinauf.

Oben angekommen sahen wir, dass die Flügeltüren weit offen standen und in den Räumen helle Aufregung herrschte. Jb saß mittendrin, schrie, raufte sich die Haare, trommelte mit den Fäusten auf das Sofa und strampelte mit den Füßen, von denen sie ihre grünen Seidenpantoffeln geschleudert hatte.

Es war noch schlimmer als sonst. Ich dachte, sie sei wegen des »Überfalls« in Panik – aber sie musste doch gesehen haben, dass der Ballon abgeschossen worden war?

Dengwi schlich zu mir und raunte: »Sie behauptet, irgendwelche Insekten wären ihr ins Kleid gekrochen. Flöhe oder Bienen oder so etwas.«

Ich verkniff mir das Lachen. Hatte ich Jadeblatt nicht eben noch Bienen an den Hals gewünscht?

Die anderen mühten sich gerade ab, ihr das Kleid aufzuknöpfen, um herauszufinden, was überhaupt los war, kamen aber kaum an die sich hysterisch windende D Jb heran. Plötzlich sprang sie auf und riss sich das Kleid eigenhändig in Fetzen. Sie ist stark. (Zweifellos haben all die Ohrfeigen und Züchtigungen, die sie ausgeteilt hat, ihre Handgelenke gestählt.)

Da stand sie in ihrem spitzenbesetzten Unterrock und zerrte wutschnaubend an sich herum.

Die übrigen Dienerinnen begannen, sie hektisch abzuklopfen. Ein paar bedauernswerte Winzameisen mussten schließlich ihr Leben lassen, weil sie es gewagt hatten, D Jb ins Kleid zu krabbeln.

Ich rannte schnell zu ihr, zupfte vorsichtig weitere Ameisen ab und trug die so Geretteten zum Fenster, um sie nach draußen zu befördern.

Über dem Garten hing nach wie vor eine dicke Qualmwolke. Ein paar der Wächter kamen die Zedernallee hinaufmarschiert. Sie hatten einen Mann – er war kein Wächter – in ihre Mitte genommen.

»Ist das … der *Eindringling*?«, flüsterte Daisy, während sie weitere befreite Ameisen die Mauer hinabkrabbeln ließ.

»Bestimmt.«

Wir beugten uns vor, um mehr zu sehen, aber da kreischte Jb wieder los. Diesmal noch lauter.

Daisy und ich halfen Jadeblatt, den Unterrock auszuschütteln. Dabei schlug sie wild um sich und brachte es fertig, Daisy mit dem Finger ins Auge zu stechen.

»Ah, ihr *Schlimmesschimpfwort*, ihr kleinen Scheusale!«, keifte Jb.

Draußen marschierten die Wächter jetzt wahrscheinlich gerade unter dem Fenster vorbei.

Ich brachte mich in Sicherheit, rannte zum Fenster zurück und sah hinunter, wobei ich rief: »Oh, verehrte Dame, die Wächter haben einen Gefangenen gemacht.«

»Natürlich haben sie das, du *Besondersschlimmesschimpfwort,* du kleine Nervensäge. Komm sofort wieder her. Ich bin über und über mit diesen *Schlimmesschimpfwort-das-Claidi-noch-nicht-einmal-kennt*-Viechern bedeckt!«

Unter dem Fenster schritten wichtigtuerisch die bedrohlichen Wächter vorbei und zwischen ihnen dieser Mann, der irgendwie auch sehr wichtig wirkte. Er trug einen längeren, reichlich militärisch anmutenden grauen Mantel und seine langen, wirren Locken leuchteten in der Sonne wie Gold, reinstes Gold. Unglaublich, dieses Haar. Vielleicht golden gepudert? Eher nicht. Es sah … *wirklich* aus, aber auf eine Art, wie es der Wirklichkeit selten gelingt.

In diesem Moment schleuderte Jb etwas nach mir – es war ein Briefbeschwerer, wie ich später sah –, das mich spitz und kalt und schmerzhaft am Rücken traf. Mir entfuhr ein peinliches *Uff!,* und der Gefangene, der Eindringling, unter mir schaute hoch, um zu sehen, wer da während seiner Gefangennahme solche lächerlichen Geräusche von sich gab.

»Kommst du wohl her, du schlimmes *Schlimmesschimpfwort*!«, keifte meine teure Herrin, D Jb.

Ich weiß nicht, wie das geschah, was nun geschah. Ich habe keine Erklärung. Du vielleicht? Womöglich ist dir das oder etwas Ähnliches ja schon mal passiert.

Ich wirbelte herum und lief auf Jadeblatt zu. Und als ich bei ihr war, verpasste ich ihr eine kräftige, brennende Ohrfeige quer über ihr verhasstes, spitzes rosa Gesicht.

Während im Haus ohrenbetäubender Lärm herrschte,

wurde es in diesem einen Raum schlagartig totenstill. Als wären wir alle zu Stein erstarrt.

Ich schaute Jadeblatt an und jubilierte innerlich, als ich sah, wie sich die Stelle, wo ich sie getroffen hatte, von Rosa zu heiß glühendem Rot verdunkelte.

Ihr Mund war weit aufgerissen.

»Du ... hast mich geschlagen.«

»Verehrte Dame!«, rief ich zutiefst erschrocken. »Ich musste! Auf Ihrer Wange saß dieses ekelhafte Insekt – Sie hatten es gar nicht bemerkt. Es hätte Sie stechen können.«

Jadeblatt ließ sich unvermittelt auf den Boden plumpsen wie ein Kind und wimmerte bloß: »... mich geschlagen.«

»Ja«, eilte mir Pattoo überraschend einfallsreich zu Hilfe. »Sehen Sie nur.« Und sie hielt Jb ein zerquetschtes Stück von einer Frucht hin, nach der sie schnell gegriffen haben musste. »Widerlich, nicht wahr?«

»Ein Glück«, mischte sich Dengwi ein, »dass Claidi so schnell reagiert hat.«

Jadeblatt öffnete den Mund noch weiter und kniff die Augen zusammen. »Mami!«, plärrte sie los. »Ich will meine Mami!«

Wie aufs Stichwort kam genau in diesem Augenblick Prinzessin Shimra, umschwärmt von ihrem Hofstaat, durch die offene Tür herein.

»Steh auf, Jadeblatt. Was soll das Geschrei? Der feindliche Ballonreisende ist in den Debattiersaal gebracht worden. Zieh dich sofort um. Alle werden dort sein«, sagte sie und fügte hinzu: »Sogar Prinzessin Jizania von Tiger.« Sie bedachte ihre Tochter mit einem verächtlichen und befremdeten Blick.

Der Debattiersaal darf nur in blauer Kleidung betreten werden. Ich weiß nicht, warum das so ist. Es ist eben eines der Gesetze im Haus.

Es war nicht einfach, Jb auf die Schnelle umzuziehen, obwohl sie sich ungewöhnlich zahm zeigte.

Ihr grünes Haar überpuderten wir einfach, was furchtbar aussah. Und Pattoo überschminkte die rot angelaufene Gesichtshälfte weiß. Shimra hatte von den Spuren der Ohrfeige nichts bemerkt.

Für unser eigenes Haar blieb keine Zeit mehr, weshalb wir uns hastig blaue Tücher als Turbane um die Köpfe wickelten.

Meine Hände zitterten.

Der Debattiersaal ist riesengroß. Die hohe, von Marmorsäulen getragene Decke über dem spiegelglatten, glänzenden Parkett ist mit silbernen Medaillons geschmückt. Mit dem Parkett bin ich sehr vertraut, weil ich im Alter von neun oder zehn zu den Kindern gehörte, die es alle fünf Tage bohnern mussten. Und dazu benötigt man einen ganzen Tag.

Die Damen und Prinzessinnen saßen in ihren blauen Plüschsesseln auf den Tribünen, umringt von Dienerinnen, Dienern und Sklaven, die ihnen Luft zufächelten und kleine Tabakspfeifen sowie Beruhigungsgetränke herumreichten.

Auf der gegenüberliegenden Seite hatten die Herren und Prinzen Platz genommen, die am Ende jeder Debatte nahezu alleine eine Entscheidung treffen. An der Kopfseite des Saals befindet sich jedoch noch ein langer, mit einem Tuch bedeckter Tisch, an dem sieben vergoldete

Sessel unter einem Baldachin stehen. Diese sind für die Alten Damen reserviert, die ältesten Prinzessinnen. Auch sie dürfen eine Stimme abgeben.

Lediglich drei der AD-Sessel waren an diesem Tag besetzt. Ich erkannte die achtzigjährige Prinzessin Corris und Prinzessin Armingat, die fünfundachtzig ist. Die beiden nehmen an allen Debatten teil und kriegen sich am Ende jedes Mal in die Haare, weil sie grundsätzlich verschiedener Meinung sind.

Heute war dazu eine dritte Dame anwesend.

Es heißt, Prinzessin Jizania von Tiger sei hundertdreißig Jahre alt. Sie sieht auch so aus. Aber sie ist wunderschön. Ihre Haut schimmert wie hauchzartes, feinstes, blasses Papier. Und unter den schweren Lidern leuchten ihre großen Augen wie heller Bernstein. Sie ist völlig kahl und trug heute als Kopfschmuck ein aus fast farblosen, silbrigen Perlen geknüpftes Netz, in das hier und da eine Smaragdknospe eingearbeitet war. (Sie hatte als Einzige darauf verzichtet, sich blau zu kleiden. Ihre Robe war aschgrau.)

Ich kann mir nicht vorstellen, jemals alt zu sein, geschweige denn *so* alt. Aber wenn, dann wäre ich gern wie sie.

Selbst ihre Stimme klingt edel. Leise und rauchig, melodisch. Sie hört sich höchstens wie sechzig an.

Allerdings nimmt sie normalerweise nicht an den Debatten teil. Sie erscheint nur zu den allerunumgänglichsten Galadiners oder Ritualen.

Es muss wunderbar sein, so vielen öden und unwichtigen Anlässen einfach fernbleiben zu können.

Prinzessin Jizania von Tiger saß da und stützte ihr schmales, runzliges Gesicht anmutig auf ihre schmale, knotige

Hand, deren Finger ein Ring mit einem kolossalen, glühenden Topas zierte.

Waffenstrotzende Wächter hatten sich in Dreierreihen zu beiden Seiten der großen Fläche in der Saalmitte postiert.

Von dem Moment an, als wir den Saal betraten, hielt ich nach ihm Ausschau – nach dem Gefangenen, meine ich, dem feindlichen Eindringling. Aber die Hauswächter lieben es dramatisch. Sie führten ihn erst ganz zuletzt herein.

Er wirkte ziemlich gut gelaunt und kein bisschen ängstlich. Ich fragte mich, ob er sich beim Absturz des Ballons wohl verletzt hatte und seine Schmerzen heldenhaft verbarg.

Nachdem die Wächter ihn in die Mitte des Saals geführt und sich entfernt hatten, starrten wir auf ihn hinab, wozu sich einige der königlichen Herrschaften Vergrößerungsgläser vor die Augen hielten.

Im Licht der im Debattiersaal stets brennenden Leuchter sah sein Kopf aus, als würde er selbst auch von goldenen Flammen umzüngelt. Sein dunkelgrauer Mantel klaffte auf, darunter trug er Weiß und dazu Stiefel in einem etwas dunkleren Weiß. Aber vor allem war er jung. Zwar älter als ich (habe ich erwähnt, dass ich seit etwa einem halben Jahr sechzehn bin?), achtzehn, vielleicht neunzehn, aber in meiner, wie es so schön heißt, »Altersgruppe«.

Was es mir jedoch so erschwert, ihn zu beschreiben, ist der Glanz, der von ihm ausging. Dieser Schliff. So wie ich früher das Parkett zum Glänzen gebracht hatte, schien dieser Mann vom *Leben* poliert worden zu sein. Er wirkte so *lebendig*. Er *lebte.* Und er strahlte.

Er kam aus der unbekannten Außenwelt, aus der Hölle, die als das Ödland bekannt ist.

Ich hätte niemals geglaubt, dass von dort etwas kommen könnte, das gut aussah. Furcht erregend ja, abstoßend wahrscheinlich. Aber doch nicht strahlend und stattlich, energiegeladen und von dieser lässigen Selbstgefälligkeit erfüllt. Mit lockigem Haar wie geschmolzener Sonnenschein.

Einer der Prinzen – Shawb – war aufgestanden und kam nun die Tribüne hinabgeschritten, auf der die königlichen Herrschaften saßen, bis er vorne bei den Sesseln der Alten Damen angelangt war. Er drehte sich rasch um und nickte ihnen zu. (Armingat gackerte. Corris blickte streitlüstern. Jizanias Miene blieb unergründlich.)

Danach musterte Shawb den Gefangenen lange und durchdringend.

»Mir wurde gesagt, Sie beherrschen die Sprache des Hauses?«

Der Gefangene antwortete mit einem leichten Achselzucken. »Unter anderem, ja.«

»Ein einfaches Ja reicht.«

»Ehrlich gesagt, reicht es mir auch schon«, entgegnete der Gefangene.

Ich mochte seine Stimme. Er sprach klar und deutlich, mit einem leichten Akzent. Ich mochte auch seine Unverfrorenheit.

Shawb ging es da anders.

»Sparen Sie sich Ihre Frechheiten. Sie haben sich in eine heikle Lage gebracht, war Ihnen das nicht bewusst?«

»Nachdem mich Ihre Männer beschossen und mein Fluggerät aus der Luft geholt haben, kam mir schon ein leiser Verdacht, muss ich zugeben.«

Die Wächter knurrten böse. Shawb schaute verdrossen drein.

»Sie heißen?«

Der Gefangene wandte sich leicht zur Seite. Er griff mit einer Hand in die Manteltasche, worauf sich augenblicklich hunderte von Gewehren und Messern in einem lebensbedrohlichen Winkel auf ihn richteten. Aber aus der Tasche zog er lediglich ein frisch gewaschenes, blütenweißes Taschentuch, fein säuberlich gebügelt.

»Nemian«, sagte er. »So heiße ich.« Und dann verließ er den Platz, an den sie ihn geführt hatten, und schritt quer durch den Saal direkt auf den (unbewachten) Tisch zu, hinter dem die Alten Damen thronten. Er legte das Taschentuch vor Jizania von Tiger hin.

Shawb bellte etwas, worauf die in Reih und Glied stehenden Wächter vortraten und ich das Klicken und Klacken der Gewehre hörte, die sie entsicherten und anlegten. Ich ließ den Fächer fallen, mit dem ich eigentlich hätte wedeln sollen, und schlug mir beide Hände vor den Mund. Was für eine lächerliche Geste. Aber es war mir gar nicht bewusst, was ich tat.

Jizania von Tiger hob gebieterisch ihre topasbesetzte Hand.

»Also schön. Was wollen Sie, junger Mann?«, fragte sie mit ihrer kultivierten Stimme.

»Ihnen dies hier überreichen, verehrte Dame.«

»Was ist das? Der Lumpen, mit dem Sie sich die Nase putzen?«

Nemian lachte. Mir gefiel sein Lachen. Ihr auch. Ein feines, ziseliertes Lächeln umspielte ihre Mundwinkel.

»Selbstverständlich nicht, verehrte Dame. Es ist eine Blume aus dem Ödland. Ich dachte, sie könnte Ihnen vielleicht gefallen.«

»Rühren Sie den Dreck nicht an – er könnte giftig sein!«, brüllte Shawb.

Aber Jizania sagte: »Nicht alles, was aus dem Ödland kommt, ist schlecht.«

Das hatte ich noch niemanden sagen hören. (In diesem Moment fiel mir auf, wo ich meine Hände hatte, und ließ sie sinken.)

Sie faltete das Taschentuch auf und hielt die Blume hoch. Es war wirklich eine. Sie war noch frisch und fest, mit großen, saftig-grünen Blättern und einer purpurroten Blüte.

»Ach ja«, sagte Jizania. So als kenne sie diese Blume, obwohl ich beschwören kann, dass sie nicht im Garten wächst, weshalb sie *tatsächlich* aus dem Ödland stammen muss.

Und das Ödland ist die Hölle auf Erden. Das hatte bisher noch jeder gesagt.

Nemian wandte sich mit einer Verbeugung von Jizania ab. Er sah in die Zuschauerreihen. Dabei lächelte er unbekümmert, obwohl ich jetzt bemerkte, dass quer über seine Stirn eine blutige Schramme verlief. Seine Augen sahen müde aus. Sie taten mir Leid. Ich fand ihre Farbe schön, obwohl ich mich jetzt nicht mehr an sie erinnern kann. Nur an ihren Schnitt und die Schatten darunter.

Er sagte: »Ich befinde mich auf einer Mission – auf der Suche nach etwas. Obwohl ich mir Ihre herrliche Gartenanlage gern angesehen hätte, wäre ich natürlich auch weitergeflogen, wenn Ihnen das lieber gewesen wäre. Nun, Sie haben mir keine Wahl gelassen. Sie haben mich abgeschossen. Ich nehme an, Sie sind hier nicht an Besuch gewöhnt. Bedauerlich.«

Dann *gähnte* er.

Ich habe noch nie jemanden gesehen, der sich eleganter auf einem Fußboden niedergelassen hätte. Sogar die Art, wie er sich hinlegte, hatte Stil. Er schien umgehend eingeschlafen zu sein.

Vielleicht hast du dich mittlerweile an die krausen Gedanken gewöhnt, die mir manchmal durch den Kopf schießen. Jedenfalls dachte ich in diesem Moment daran, wie viele Tage und Monate ich damit zugebracht hatte, diesen Boden zu bohnern, ohne zu ahnen, dass dieser Mann sich eines Tages darauf ausstrecken und einschlafen würde. Ich spürte ein merkwürdiges Stechen in der Brust, wie kurz vor dem Weinen.

Doch jetzt traten die Wächter vor, umringten Nemian und verwehrten uns so den Blick auf ihn. Sie schienen in seinem Einschlafen eine hochgefährliche, mörderische Finte zu vermuten.

Ein paar Minuten später scheuchten die Wächter uns fast alle aus dem Debattiersaal. Nur die ältesten Prinzen blieben. Unter ihnen auch Shawb. Selbst die Alten Damen wurden höflich, aber bestimmt zum Gehen aufgefordert.

Jizania widersetzte sich nicht. Die beiden anderen quengelten, meckerten und protestierten wie nörgelige Kinder, die einer Party verwiesen werden.

In den umliegenden Räumen standen die vor die Tür gesetzten königlichen Herrschaften herum und schnatterten miteinander. Ich war überrascht, als die sonst so streitbare Jadeblatt sofort auf ihre Mutter, Prinzessin Shimra, zustürzte.

»Mami, Mami, kann ich bei dir bleiben?«

»Ich wollte gleich in die Bibliothek gehen«, sagte Shimra,

»um etwas zu lesen.« Sie schaute unbehaglich drein, als Jb ihr den Kopf auf die Schulter legte.

»Bitte nimm mich mit, Mami. Ich möchte so gern, Mami.«

»Aber du liest doch gar nicht, Schatz.«

Obwohl Jadeblatt Shimra etwa um eine Haupteslänge überragt, benahm sie sich jetzt wie ein klitzekleines Mädchen und redete mit süßlicher, weinerlicher Stimme. Zum Glück tut sie das nicht häufig, weil einem davon übel wird. Shimra ging es allem Anschein nach nicht anders.

Wenig später rauschte Jizania von Tiger mit ihren Dienerinnen, die stolz ihre lange Brokatschleppe trugen, an uns vorbei. Als sie verschwunden war, stellte ich fest, dass Shimra offenbar die Gelegenheit genutzt hatte, um ihrer Tochter zu entwischen, denn sie war plötzlich nicht mehr da, und Jb kehrte verdrossen zu uns, ihren Dienerinnen, zurück. Die gerötete Gesichtshälfte schien etwas abgekühlt zu sein, aber Jb wirkte nach wie vor verstört. Hatte *ich* das etwa bewirkt?

Diese Frage beschäftigte mich jedoch nicht lange. Ich dachte nur an *ihn*.

Was sie wohl mit ihm machen würden? Ich hatte Gerüchte gehört – über die Strafen, die Eindringlinge erwarten. Erinnerst du dich noch an den Löwen, den sie umgebracht haben?

Viel Zeit zum Nachdenken blieb mir nicht, weil Jb nach oben in die Schmuckkammer wollte und alle mitkommen mussten.

Früher, als Kind, habe ich diesen Raum gemocht, in dem hinter Glas die ältesten Schmuckstücke und Kleinode des Hauses ausgestellt sind. Aber heute trottete ich nur lustlos mit. Ich weiß auch nicht, warum.

Ich nahm kaum etwas wahr. Daisy schien es ähnlich zu gehen und einigen der anderen auch. Dengwi und Pattoo nicht.

Mir kam der peinliche Gedanke, zumindest Daisy und ich könnten ein bisschen in Nemian *verschossen* sein. Doch, also ich auf jeden Fall. Mein Gesicht glühte, als ich nur an seinen Namen dachte.

War das nicht furchtbar? Ich hatte mich in einen Geächteten aus der *Hölle* verliebt, der sowieso hingerichtet werden würde. Und der außerdem niemals auch nur einen Blick an mich armseliges Ding verschwenden würde.

D Jb betrachtete gedankenverloren Armbänder und Ohrringe. Aber ich bemerkte, wie ihre Verstörtheit allmählich nachließ. Das Kleinmädchengetue fiel von ihr ab. Ihre alte Schlangenhaftigkeit kam wieder zum Vorschein. Nicht dass ich etwas gegen Schlangen hätte – bloß gegen die menschlichen.

»Ach, Claidi«, sagte sie plötzlich sehr klar und gut gelaunt.

»Ja, Herrin?«, antwortete ich, und das Herz rutschte mir noch etwas tiefer. (Nicht einmal Nemians Ankunft hatte mich völlig von der anstehenden professionellen Auspeitschung abgelenkt.)

»Vielen Dank für den gnadenlosen Hieb, mit dem du das garstige Insekt auf meinem Gesicht getötet hast. Es war doch ein Insekt, oder?«

Ich bemühte mich, verschämt-geschmeichelt zu schauen.

»Ich wusste bisher nicht, dass du mir so ergeben bist. Eigentlich müsstest du belohnt werden.« Sie strahlte. »Wenn ich Mami heute Abend davon erzähle, weist sie den Peitschmeister ihres Hausdieners sicher an, ein besonders hübsches Schleifchen an die Peitsche zu knüpfen. Hast du die

Peitsche eigentlich schon einmal gesehen?« Sie beugte sich zu mir vor. Das Ganze erschien mir irgendwie unwirklich. Doch die Vitrine in meinem Rücken rief mir schmerzhaft den blauen Fleck in Erinnerung – da, wo sie mich mit dem Briefbeschwerer getroffen hatte. »Sie ist mit Dornen bestückt«, verkündete D Jb triumphierend. Oh, die Peitsche hatte also Dornen.

Sie drehte sich in ihrer schwerfälligen, unbeholfenen Art um und rammte dabei einen Glaskasten, der erzitterte. Genau wie ich.

Die anderen Mädchen schauten betroffen. Aber in diesem Augenblick rauschten ein paar Damen raschelklimpernd in den Raum und verkündeten laut, der feindliche Eindringling sei in den Schwarzen Marmorpavillon gesperrt worden.

Daisy schnappte nach Luft. Und ich genauso, weil sich eine der Damen plötzlich zu mir wandte und meinte: »Du da – du heißt doch Claidi, oder?«

»Ja, verehrte Dame?«

»Ihre Ältlichkeit Jizania von Tiger verlangt nach dir.«

Irgendwie gelang es mir, mich an einem Bissen Garnichts zu verschlucken, und ich begann zu würgen. Pattoo klopfte mir auf den Rücken, zum Glück nicht auf den blauen Fleck.

Dengwi begleitete mich zur Tür. »Hör mal«, sagte sie. »Ich weiß zwar nicht, was die Alte Dame von dir will, aber sie soll ganz nett sein. Wenn du sie lieb bittest, begnadigt sie dich vielleicht. Du darfst *auf keinen Fall* zulassen, dass sie dich auspeitschen, hörst du? Meine Schwester, weißt du …«, Dengwis Gesicht erinnerte mich an glatten, schwarzen Stahl, »… sie wäre daran fast gestorben.«

Ich wusste darauf nichts zu sagen. (Seit wann hatte Dengwi eine Schwester?) Ich hatte aber auch gar keine Zeit, etwas zu sagen. Ein Sklave der Alten Dame wartete voll hochmütiger Geduld auf mich, denn der Sklave einer Alten Dame ist jeder Dienerin, ganz gleich welcher Herrin sie dient, im Rang überlegen.

Mir schwirrte der Kopf. Auf einmal tat sich so viel in meinem Leben, in dem sich, wie du ja weißt, über sechzehn Jahre lang fast überhaupt nichts ereignet hatte.

Der Löwe hinter Gittern

Ich sehe zum Mond hinauf, der – oh, Ironie des Schicksals – heute Nacht tatsächlich zu sehen ist. Ironie des Schicksals auch, dass mir einer von Jadeblatts grässlichen Versen nicht aus dem Kopf geht: *O Mond, du aus flüssig schwebendem Limonengrün …*

Irgendwie tut sie mir Leid. Das ist bestimmt ziemlich dämlich von mir. Aber sie ist solch ein hoffnungsloser Fall. Ich sehe wirklich nicht das allerkleinste Fünkchen Hoffnung für sie. Sie wird immer bleiben, wie sie ist: gemein und boshaft und ungerecht und schlichtweg abstoßend. Glücklich ist sie nicht. Sonst wäre sie nicht, wie sie ist. Man muss sich nur mal Dame Iris, Prinz Adler oder andere anschauen. Die behandeln ihre Diener gut.

Da fällt mir eine Unterrichtsstunde ein, aus der Zeit, als ich das Parkett bohnern musste, auf dem sich Nemian so elegant niederließ und einschlief. Man sagte uns, harte Arbeit und Leid würden unseren Charakter formen und uns zu besseren Menschen machen.

Mäusekacke.

Trotzdem. Jetzt wo ich hier an diesem Fenster in einem der oberen Geschosse sitze und zum Mond hinaufsehe, während es in mir wirbelt und ich zittere und zugleich von stiller Freude erfüllt bin – da kann ich auf Jadeblatt einfach nicht wütend sein.

Mir tut es nur wegen der anderen Dienerinnen Leid, besonders wegen Daisy und Pattoo. Weil ich mich nicht mehr von ihnen verabschieden kann.

Zurück zur Geschichte:

Jizania von Tigers hochmütiger Sklave führte mich die glasig schimmernden Korridore (Fenster, poliertes Holz) entlang und die Marmortreppen hinauf. Jizania hat eine eigene Wohnung auf einem Flachdach. Davor liegt ein Dachgarten, mit Bäumchen in Terrakottatöpfen und einem Wasserbecken mit Springbrunnen und bunten Fischen.

Die Alte Dame saß in einem zu diesem Garten hin geöffneten Raum.

Sie hatte den juwelenbesetzten Kopfschmuck abgenommen und ich bewunderte ihren wohlgeformten kahlen Kopf. Sie sieht wirklich sehr majestätisch aus. (Aber ich habe natürlich auch allen Grund, von ihr beeindruckt zu sein.)

»Setz dich«, sagte sie. »Hast du Hunger? Durst?«

Ich verneinte erschrocken. Obwohl mein Mund wie ausgedörrt war.

Was sie mir vermutlich ansah, denn auf einen Wink von ihr schenkte mir der Sklave ein Glas Fruchtsaft ein. Ich glaube, es war Orangensaft, den wir im Dienerinnentrakt, wenn überhaupt, immer nur verdünnt bekamen.

»Gehe ich recht in der Annahme«, fragte sie, »dass du nicht weißt, weshalb ich dich habe rufen lassen?«

»Ja, verehrte Dame.«

»Ein ereignisreicher Tag war das heute«, stellte sie fest. Sie stieß ein abgehacktes, bellendes Lachen aus, das klang wie von einem der Gartenfüchse. »Ich kann mir denken, dass es nicht sonderlich angenehm ist, Jadeblatts Dienerin zu sein«, fuhr sie fort. »Natürlich verstehe ich, dass du mir schlecht zustimmen kannst. Aber besonders lustig war dein Leben bisher vermutlich nicht, Claidi. Richtig?«

Erstaunlich, dass sie meinen Namen kannte. Erstaunlich, dass sie sich ausgerechnet mit mir abgab.

Unsicher erwiderte ich: »Na ja… nein… nicht besonders lustig.« Dann dachte ich an Dengwis Rat und platzte früher als beabsichtigt heraus: »Ich habe Dame Jadeblatt heute ins Gesicht geschlagen, und sie will, dass ich ordentlich ausgepeitscht werde. Mit der Peitsche… mit den Dornen.«

Jizania von Tiger zog langsam ihre fein geschwungenen Brauen hoch.

»Geschlagen? Eine Peitsche mit Dornen? Von so einer Peitsche ist mir nichts bekannt. Ich glaube nicht, dass es so etwas gibt.«

Einen Moment lang befiel mich Angst. Dengwi wusste, dass es sie gab.

Dann setzte Jizania hinzu: »Aber vielleicht sollten wir uns, nur zur Sicherheit, doch eine Alternative zur Auspeitschung überlegen.«

»Oh, danke. Vielen Dank«, entfuhr es mir. Ich wusste, dass Jizania im Haus Einfluss hatte. Wenn sie es mir versprach, dann war ich sicher. Für den Augenblick wenigstens, und das war meiner Erfahrung nach das Beste, was man sich im Leben erhoffen konnte.

Dann kam mir ein verwegener Gedanke. Womöglich würde Jizania von Tiger mich zu ihrer eigenen Dienerin machen. Ihre Dienerinnen waren eine Klasse für sich, sie wohnten noch nicht einmal im Dienerinnentrakt, sondern in ihren eigenen Räumen neben den Gemächern der Alten Dame.

Allerdings konnte ich mir nicht vorstellen, weshalb ich solch ein Glück haben sollte, und blieb daher vorsichtig.

Da fragte sie unvermittelt: »Sag, was hältst du von unserem feindlichen Eindringling, diesem jungen Mann namens Nemian?«

Ob ich rot geworden bin? Eher nicht. Ich nehme an, ich war zu überrascht.

»Äh … na ja … er … ähm … nun, er ist … äh«, stammelte ich sehr intelligent.

»Ein wahrlich Furcht erregender Feind, nicht wahr?«, sagte Jizania. »Sicherlich hat er dich zu Tode erschreckt.«

Es wäre dumm gewesen zu lügen. Ihrem Blick entnahm ich, dass sie Gedanken lesen konnte.

»Er sieht genauso aus wie unsere Prinzen«, antwortete ich. »Eigentlich sogar besser.«

»Ja«, stimmte sie mir zu. »Gut gebaut und ziemlich keck. Und dann diese Locken!« Sie klang jünger denn je, als sie das sagte. Allerhöchstens wie fünfzig. Jetzt wurde ich doch rot. Ob sie es bemerkt hatte? Jedenfalls ging sie darüber hinweg. »Und die Blume, die er aus dem Ödland mitgebracht hat … Ein ziemlicher Schock für dich, nicht, Claidi? Hättest du jemals gedacht, dass dort etwas wächst, etwas Gesundes, Schönes?«

»Nein, verehrte Dame. Ich dachte immer, das ganze Ödland wäre verseucht.«

»Teile davon. Teile.«

Sie schwieg. Ich ließ meinen Blick unruhig schweifen. Auf einer Stange saß ein prächtiger, indigoblau gefiederter

Vogel, der mich mit weisen alten Augen betrachtete, die mich an ihre erinnerten.

Plötzlich erhob sich Jizania von Tiger mit steifer, ältlicher Anmut.

»Komm mit«, forderte sie mich auf, als ich hastig aufsprang. Natürlich war ich nicht so unverschämt zu fragen, wohin sie mit mir wollte.

Wir gingen durch eine Tür hinaus und dann eine Hintertreppe hinunter, eine knarzende Wendeltreppe mit winzigen Fensterchen in der Wand. Wir müssen mehrere Stockwerke hinuntergestiegen sein, bis Jizania schließlich einen Schlüssel von ihrem Armkettchen löste und eine schmale Tür aufschloss.

Dahinter hing ein Wandteppich. Als wir ihn zur Seite schoben, standen wir auf einmal im Schwarzen Marmorgang.

Kein schöner Ort. Eine der harmloseren Strafen besteht darin, dort eine Nacht verbringen zu müssen. Seltsame, schauerliche Laute dringen durch geschickt in die Mauern gebohrte Löcher, und im dämmrigen Dunkel blickt man auf Gemälde, auf denen Hinrichtungen dargestellt sind, oder Menschen, die ins Ödland verbannt werden und weinend um Gnade flehen. Als Kind habe ich hier mehr als einmal am Boden gekauert und hinterher unter Albträumen gelitten, genau wie von den Strafenden beabsichtigt.

Der lange Gang führt auf einen Hof hinaus und dort steht der Schwarze Marmorpavillon.

Ein weiterer am Armband befestigter Schlüssel öffnete die Tür zum Hof.

Ein mit breiten Steinplatten gepflasterter Weg führt hinunter zum Pavillon, dessen schwarze Säulen ein ebenso schwarzes Kuppelgewölbe tragen. Die Zwischenräume zwischen den Säulen sind mit schwarzen, dicken Eisenstäben vergittert.

Über uns schien die Sonne, doch der Pavillon lag in völliger Finsternis da. Ich konnte hinter den Stäben und Säulen rein gar nichts erkennen.

Aber Jizania von Tiger, von keiner anderen Dienerin begleitet als mir, rauschte den gepflasterten Weg hinab.

Augenblicklich traten zwei Hauswächter hinter dem Pavillon hervor.

Sie salutierten und nahmen vor der Alten Dame Haltung an, doch als sie weiterschritt, rief einer von ihnen: »Bitte kommen Sie nicht näher, verehrte Dame. Der feindliche Gefangene ist hier eingesperrt.«

Sie nickte bloß. »Was glauben Sie, weshalb ich hier bin?«

»Aber, verehrte Dame, es handelt sich um einen Ausländer aus dem Ödland. Es wäre besser, wenn Sie …«

»… wenn ich zu meinem Ohrensessel zurückschlurfen würde?« Ihre Stimme zerschnitt den Wächter wie eine scharfe Klinge. Er vergaß sogar, stramm zu stehen. »Sie Bürschlein beabsichtigen doch wohl nicht etwa«, sagte Prinzessin Jizania von Tiger, »einer Alten Dame des Hauses Anweisungen zu erteilen?«

Er salutierte nicht mehr, sondern sank förmlich in die Knie. »Bitte untertänigst um Vergebung, verehrte Dame.« (Der andere Wächter grinste.)

Sie eilte weiter und ich mit ihr.

Nemian war auf der Rückseite des Pavillonkäfigs untergebracht, dort wo die Wächter gestanden hatten. Vielleicht hatten sie ihn ja gerade beschimpft oder sich mit ihm unterhalten. Irgendjemand musste sich doch wenigstens ein winziges kleines bisschen für das Ödland interessieren.

Er stand hinter den Eisenstäben. Sein Mantel hing über einer Bank. Er sah … überwältigend aus, so von nahem. Ich wagte nicht einmal einen verstohlenen Blick.

»Oh«, sagte er. »Guten Tag, verehrte Dame. Eine elegante Dame sowie ein Fräulein in blauem Kleid mit einem ins wirre grüne Haar geknüpften blauen Tuch.«

Ich *spürte*, wie er mich ansah. Mich lang, lang ansah. Er, von dem ich geglaubt hatte, er würde mich keines Blickes würdigen.

»Das ist Claidi«, sagte Jizania von Tiger und fügte hinzu: »Was natürlich nur eine Kurzform ist. Mit vollem Namen heißt sie Claidissa von Stern.«

Ich hob ruckartig den Kopf und gaffte sie an. Was äußerst unvorteilhaft ausgesehen haben muss. Mir verschlug es die Sprache. Ich hatte sogar den bezaubernden Nemian vergessen.

War das – *das* – mein richtiger Name?

Ich bekomme gleich einen Schreibkrampf. Aber ich darf nicht aufhören. Es muss schnell gehen. Der Mond ist weitergewandert. Ob ich es schaffe, den Rest noch aufzuschreiben, bevor ich nach unten muss?

Einen Moment lang war ich von meinem neuen Namen derart überwältigt, dass ich nicht mitbekam, worüber sich die Prinzessin und der Gefangene angeregt unterhielten.

Als ich ihnen wieder halbwegs folgen konnte, sagte er gerade: »Zu gütig, dass Sie danach fragen, verehrte Dame. Nein, keine ernsthaften Verletzungen. Nur eine Hand voll blauer Flecken und Schrammen. Der Ballon wurde beim Absturz gegen einige Ihrer Bäume gedrückt, und ich bekam einen günstig hängenden Ast zu fassen, an den ich mich klammern konnte. Gleich darauf trieb der Ballon ab und zerschellte in einiger Entfernung am Boden. Ich hatte verdammtes Glück.«

»Sie hatten Glück und wollen zugleich *verdammt* gewesen sein?«, fragte Jizania.

Nemian lächelte, und ich sah, dass er sehr zart errötete. Mein Herz schlug einen Purzelbaum. Ich würde sein Gesicht nie mehr vergessen.

»Entschuldigen Sie meine raue Ausdrucksweise, verehrte Dame«, sagte er. »Ich bin schon eine Weile unterwegs und habe meine gute Kinderstube vergessen.«

Sein Blick wanderte wieder zu mir. Einen Moment sah er mich direkt an, und ich hatte das Gefühl, in seinen Augen zu versinken. (Ich kann mich noch immer nicht an ihre Farbe erinnern – blau, grau??? Bald werde ich es wissen.) Dann lächelte er dieses unglaubliche Lächeln. Und ich nahm mir vor, auf keinen Fall herzschmerzmäßig dahinzuschmelzen. Also legte ich die Stirn in ernste, hässliche Falten. Er lachte. Und ich drehte den Kopf weg. (Kindisch. Aber die ganze Situation überforderte mich einfach.)

Nemian sagte zur Prinzessin: »Es scheint sich zu langweilen, das Fräulein Claidissa von Stern.«

»Ich nehme an, sie möchte ihren Tee.«

»Dann lassen Sie sie bitte nicht unnötig warten.«

Ich spürte, wie sie mich mit ihren schmalen Händen an den Schultern fasste, umdrehte und wir über den Steinplattenweg zurückgingen. Die Wächter salutierten, und ich war der festen Überzeugung, alles vermasselt zu haben. Was auch immer es zu vermasseln gegeben hatte.

Oben, in ihrem Gemach, war auf einem geschnitzten Tisch eine traumhafte Teetafel angerichtet. (Dabei war es gerade mal Mittag.) Ich dachte, sie wollte von mir bedient werden, aber sie forderte mich auf, Platz zu nehmen und gemeinsam mit ihr »Tee« zu trinken.

In Wirklichkeit trank sie bloß ein Glas geeiste Schokolade.

(Es wäre eine Sünde, nicht wenigstens einen Teil der zum »Tee« servierten Köstlichkeiten aufzuzählen: Da standen handbemalte Schüsseln mit Pfirsichspalten und Erdbeeren, noch ofenwarme Kuchen, Kekse, die in Form von Vögeln ausgestochen waren, und sahneweiße Butter, die zu einem Kaninchen modelliert war. Dazu verschiedene heiße und kalte Getränke. Und wie die Tassen und Gläser funkelten!)

Zu schade, dass ich rein gar nichts davon probieren konnte. Ich habe es versucht. Mir war noch nie solch ein Festmahl serviert worden. Aber du wirst gleich verstehen, weshalb es nicht ging.

Als Jizania von Tiger sah, dass ich nichts aß, begann sie zu sprechen, und was sie sagte, machte es mir unmöglich, auch nur die Bröckchen und Tröpfchen zu schlucken, die ich bereits im Mund hatte.

»Es ist«, sagte sie, »schon viel über das Haus gesagt worden. Vor langer Zeit war es einmal eine Stätte der Ruhe und des Friedens. Es lebte sich recht angenehm hier. Aber inzwischen erinnert es mich an eine Uhr, die jemand beim Aufziehen überdreht hat und die dauernd stehen bleibt und die falsche Zeit anzeigt.«

Sie fuhr fort: »Auch über das Ödland reden sie viel und jagen kleinen Kindern mit den Geschichten darüber Todesangst ein. Aber du hast die Blume gesehen. Das Ödland ist nicht so schlecht, wie immer behauptet wird, und umgekehrt ist das Haus nicht so gut.«

Dann: »Dieser junge Mann, unser attraktiver Gefangener – sie wissen nicht, wie sie mit ihm verfahren sollen. Er wollte uns nichts Böses, aber sie sind hier mittlerweile so weit, dass sie allem von außen Kommenden misstrauen und es fürchten. Deshalb werden sie ihn sicher wegsperren. Womöglich muss er auf Jahre in diesem Käfig bleiben. Oder sie werden plötzlich von grundloser Angst gepackt und bringen ihn sogar noch um. Ich finde wirklich, man sollte ihm die Flucht ermöglichen, was meinst du? Nur bräuchte er dazu Hilfe. Ich hätte zwar die Möglichkeiten, aber ich bin alt. Solche Abenteuer sind nicht mehr meine Sache.«

Sie starrte mir mit ihrem bernsteinfarbenen Falkenblick direkt in die Augen.

»Nun zu dir. Du führst hier ein sterbenslangweiliges Leben, Claidi. Worauf kannst du noch hoffen oder dich jemals freuen? Schläge, Gemeinheiten, endlose, sinnlose Schufterei. Vielleicht eine Heirat mit einem fügsamen Diener, falls dir das überhaupt erlaubt wird. Auch du, mein Mädchen, solltest aus deinem Käfig befreit werden.«

Ich konnte dem, was sie sagte, nicht ganz folgen, nicht so richtig. Aber mein Herz sprang wie wild in meiner Brust und schien zu begreifen.

Meinte sie das, was mein Herz verstanden zu haben glaubte?

»Weißt du, Claidi, du bist tollkühn genug und jung genug und du bist des Lebens hier überdrüssig genug. Wenn ich dir nun die Möglichkeit gäbe, Nemian aus dem Pavillon zu befreien und mit ihm zusammen aus dem Haus und dem Garten ins höllische Ödland zu fliehen … in die Welt hinaus … würdest du es tun?«

Ja, Herz, du hattest voll ins Schwarze getroffen.

Sie sagte: »Das Ödland ist mehr, als wir darüber wissen. Und du selbst hast Nemian einen Prinzen genannt. Wo er herstammt, ist es zweifellos mindestens so vornehm, wenn nicht sogar noch vornehmer als hier. Und er würde für dich sorgen.«

Ohne darüber nachzudenken, rief ich: »Aber warum sollte er? Ich bin doch bloß …«

»Bloß was? Bloß eine Dienerin?«

Ihre Worte ließen mich zusammenschrumpfen. Sie waren so wahr, dass sie sogar noch schwerer zu schlucken waren als das Essen. Dienerin – eine *Sklavin* war ich.

Prinzessin Jizania von Tiger drehte sich halb zur Seite und streckte den Arm aus, worauf der indigoblaue Vogel aufflatterte und sich leicht wie Musselin darauf niederließ. Sie reichte ihm Pfirsichstückchen, die er sich zierlich mit der Kralle in den Schnabel steckte.

»Claidi«, fuhr Jizania von Tiger fort. »Du weißt doch, dass deine Eltern im ersten Jahr nach deiner Geburt verbannt wurden?«

»J … ja.«

»Sie hatten ein heiliges Gesetz gebrochen. Eines der wichtigsten.«

»Ja.«

»Ich nehme nicht an, dass du weißt welches. Das wurde dir nie mitgeteilt.«

Ich schüttelte den Kopf. Der Vogel musterte mich und schüttelte ebenfalls den Kopf. Äffte mich nach.

Und dann erzählte mir Jizania von Tiger alles. Der erste Frevel war gewesen, dass sich meine Mutter, eine Prinzessin des Hauses, in meinen Vater, ihren Hausdiener, verliebt hatte. Ihr zweites Verbrechen war *ich* – meine Geburt. Denn hier darf niemand geboren werden, es sei denn mit ausdrücklicher Genehmigung – und *unter keinen Umständen* als Frucht einer gemischtrangigen Verbindung.

»Sie hielten es nicht für richtig, ein unschuldiges Kind zu verbannen«, fuhr Jizania von Tiger fort, »und verurteilten dich stattdessen zu einem Leben als Dienstbotin des Hauses. Shimra, eine – offensichtlich falsche – Freundin deiner Mutter, gab dich in den Dienst ihrer garstigen Tochter, dieses Furunkels in Menschengestalt, von dem die Welt befreit werden sollte. Ich habe das alles miterlebt. Wie ich dir jedoch bereits sagte, bin ich alt und bequem. Außerdem sah ich bisher keinen Ausweg. Nemian ist übrigens informiert. Er weiß von deiner königlichen Herkunft.«

»Hat er Ihnen etwa geglaubt?«, krächzte ich.

»Glaubst du mir?«

Glaube ich ihr? Ich weiß es nicht.

Ich weiß nur, dass sie mir sämtliche Schlüssel gab, die ich zu seiner Befreiung benötige (sie sagte, sie besäße Schlüssel zu jedem Schloss in Haus und Garten). Und dass sie mir den Weg und alles andere genau erklärte und sagte, die Entscheidung läge letztendlich bei mir. Dass ich es nicht tun müsse. Aber im Ödland wachsen Blumen, und dort steht Nemians eigenes Haus, wie auch immer es aussehen mag, und meine Eltern sind auch dort, vielleicht, irgendwo, falls sie überlebt haben. Meine mutigen Eltern, die sich ineinander verliebten und es wagten, ihrer Liebe *mich* entspringen zu lassen.

In mir purzelte alles durcheinander. Nicht nur die Liebe – Stromschnellen rauschten durch mich hindurch, Trommeln dröhnten und Blitze setzten mich in Brand.

Du hast wahrscheinlich gleich gewusst, dass ich es tun werde. Ihn befreien und mit ihm gehen. Das Risiko wagen. Nach *draußen* gehen – du würdest es doch genauso tun, oder?

Die Flucht

Im Mondlicht sah der Garten himmlisch aus – so wie es oben im Himmel aussehen muss, wo immer das sein mag. Das wurde uns nie richtig erklärt. Aber es muss ein wunderschöner und ganz besonderer Ort sein. Plötzlich packte mich eine fürchterliche Panik. Ganz egal wie schlimm es hier gewesen war, ich kannte doch nichts anderes.

Sie hatte mich tollkühn genannt. Ich fühlte mich ganz und gar nicht danach. Am liebsten hätte ich mich in unsere Kammer im Dienerinnentrakt zurückgeschlichen und behauptet, Jizania habe mich eben erst gehen lassen. An diesem Abend hatten Dengwi und Pattoo bei Jadeblatt Dienst, was bedeutete, dass nicht einmal sie sich beschweren konnte. Konnte sie ohnehin nicht. Die Alten Damen sind zu mächtig.

Jizania wird behaupten, sie habe mich bei sich behalten, um ihr den Tee zu servieren – sie nimmt immer nur den »Tee« ein, nie Frühstück oder Hauptmahlzeiten. Danach sei sie eingenickt – »Natürlich, denn alte Frauen bleiben ja nie lange wach«, hatte sie mit Tigerinnenlächeln gesagt. Während sie schlief, hätte ich ihr die Schlüssel stibitzt und sei fortgerannt.

Sie muss es so darstellen. Sie werden sie für leichtsinnig und gutgläubig halten, aber nicht verdächtigen, an Nemians Befreiung beteiligt gewesen zu sein.

Sie versprach mir außerdem, nie mehr ein Wort über die Sache zu verlieren – falls es morgen keinen Aufruhr geben sollte, falls er also nicht geflohen wäre, weil ich ihn nicht befreit hätte.

Ich kann mir lebhaft vorstellen, was sie in diesem Fall von mir gehalten hätte. Claidi, die feige, rückgratlose Memme.

Rückblickend, ich meine jetzt, wo es zu spät ist, weil ich es schon getan habe und es kein Zurück mehr gibt, scheint meine Angst unbegründet.

Lass mich noch rasch beschreiben, wie der Garten aussah, weil ich ihn schließlich nie mehr sehen werde. Der größte Witz ist, dass er in gewisser Weise mir gehörte. Falls stimmt, was Jizania von Tiger über meine Mutter gesagt hat.

Die Bäume schlummerten wie tiefblaue Wattewolken und spitze, fahldunkle Türme. Der Rasen lag da wie grauer Samt. Darüber gespannt ein Baldachin aus Schatten. Hier und da ein Streifen Silber. Mond auf Wasser. Die Fontäne eines Springbrunnens in endlosem Bogen, ein Strahl flüssigen Glitzerns …

In der Ferne tschilpte ein Vogel ein kurzes silberhelles Lied. Das tun sie oft in lauen Nächten. Und im Fluss grunzte ein Nilpferd.

Dann das Brüllen eines Löwen. Es hat nichts zu bedeuten, das Brüllen. Sie brüllen, damit ihre Lungen nicht verkümmern. Aber laut.

All die Sterne über mir. Ob sie über dem Ödland wohl anders leuchten?

Vielleicht war das, was ich empfand, nicht wirklich Angst. Der Abschied von diesem Ort, den ich verabscheute und den ich als langweilig, grausam und sogar gefährlich empfand, stimmte mich womöglich einfach traurig.

Wie du weißt, hatte ich mich versteckt, nachdem ich von Jizania weggegangen war, und in dieses Buch geschrieben. Ich besaß alle notwendigen Schlüssel und den Wein für die Pavillon-Wächter und hatte bereits auf Jizanias Geheiß aus dem Dienerinnentrakt einige andere Sachen besorgt. Unter anderem feste Schuhe, die ich gleich anzog. Alles andere verstaute ich in einem kleinen Brotbeutel aus der Küche. (Noch ein Diebstahl. Es waren im Grunde mehrere. Wenn man so will, habe ich ihnen sogar Nemian gestohlen.)

Sie hatte mir geraten, um Mitternacht aufzubrechen. Die Uhr hoch oben im Haus sang mit dünnen Schlägen die einzige Stunde, die sie noch schlägt.

Dann ging ich in den Garten hinunter und näherte mich, von den oberen Sträuchern her kommend, dem Schwarzen Marmorpavillon.

(Auf Jizanias Weisung hin nahm ich nicht den direkten Weg aus ihren Gemächern, den wir beim ersten Mal gewählt hatten. Ich dachte, sie hielte sich aus Klugheit so weit wie möglich aus der Befreiungsaktion heraus. Aber jetzt frage ich mich, ob sie mir nicht eine letzte Gelegenheit geben wollte, mich umzusehen und die Angst und diese seltsame Wehmut zu spüren, damit ich mir ganz sicher war, das Richtige zu tun.)

Wie ich mich so durch die Hibiskussträucher schlich, traf ich plötzlich auf einen Löwen.

Wir blieben beide stehen und starrten einander an. Er schien genauso überrascht wie ich.

Ich wusste nicht, was tun. Immerhin war es ein *Löwe.* Natürlich hatte ich vorher schon welche außerhalb des Geheges gesehen, aber noch immer an der Leine. Dieser war allerdings sehr gleichmütig, oder besser: gleichgültig. Er schüttelte die Mähne und trottete an mir vorüber, cremeweiß im Mondlicht und nach den weißen Hibiskusblüten duftend.

Als ich noch ein Stück gegangen war und durch eine Lücke in den Sträuchern auf die mondbeschienenen Weinbergterrassen hinabblickte, sah ich dort zwei andere Löwen (Löwinnen), die sich balgten, in den Reben wälzten und dabei die Ranken und prallen Trauben zerdrückten, sodass ihr Geruch die Luft schwängerte.

In der Nacht, in der Nemian floh, waren also auch die Löwen ausgebrochen. Ein fabelhaftes Ablenkungsmanöver, falls nötig.

Zufall? Daran glaubte ich nicht. Jizania hatte das arrangiert... hatte sie nicht erwähnt, die Schlüssel zu jeder Tür in Haus und Garten zu besitzen? Dann doch wohl auch die zum Löwengehege.

Bestimmt würde auch diese Meisterleistung Claidi angerechnet werden. Mir dämmerte, dass mein Name in die Geschichte des Hauses eingehen würde!

Dann sah ich die Mauer, die den Hof umschloss und über der sich die Kuppel des Pavillons erhob.

Mir wurde schlecht. Trotzdem gelang es mir, weiterzugehen, und plötzlich stellte ich fest, dass ich bereits an die Pforte in der Mauer geklopft hatte. Also blieb keine Zeit mehr, mich zu übergeben.

Einer der Wächter herrschte mich durch die geschlossene Tür an:

»Ja? Was willst du?«

»Ihnen etwas Wein bringen, verehrter Wächter.«

»Oha! Wein, ja?«

Das klang sehr erfreut. Und dann fragte eine andere Stimme: »Wer schickt dich?«

»Ihre Ältlichkeit, Prinzessin Jizania.«

Die Tür wurde geöffnet und ich trippelte mit betont ergebener Miene hindurch.

Es waren fünf Männer, die auf Bänken rings um eine an einem Pfahl hängende Laterne hockten. Sie hatten Karten gespielt. Hinter ihnen ragte als stockdunkler Klotz der Pavillon empor.

Ich reichte ihnen die beiden großen Weinflaschen und zwei Küchenbecher, denn mehr hatte ich nicht tragen können. Sie schienen arglos zu sein. Einer von ihnen zog einen dieser praktischen Korkenentferner aus einer Tasche und öffnete die Flaschen.

Sie ließen sie herumgehen und tranken in gierigen Zügen. Bestens. Jizania hatte die beiden Flaschen mit einem Mittel versetzt. Ich hatte gesehen, wie sie eine lange Hohlnadel durch den Korken gestoßen und dann Tropfen für geduldigen Tropfen irgendeines Kräuterelixiers hineingeträufelt hatte.

Es wirkte nicht sofort – leider.

»Was hast du da in dem Bündel?«

»Ein paar Dinge, die die Prinzessin dem Gefangenen schicken lässt.«

»Was für Dinge? Was braucht der noch? Wenn alles gut läuft, wird er morgen aufgeknüpft.«

»Oder enthauptet«, ließ ein besonders Fröhlicher vernehmen. »Zack – und ab ist die Goldrübe.«

»Recht so, Jovis!«

»Ist eh zu goldig, der Kerl«, setzte Jovis nachdenklich hinzu.

Mir fiel ein, dass er der Schütze gewesen war, dessen Kanone den Ballon abgeschossen hatte.

»Na komm, Mädchen«, wandte sich Jovis jetzt an mich. »Setz dich mal auf meine Knie.«

»Nein danke«, erwiderte ich höflich.

Alle lachten, und einer klärte mich freundlich auf: »Bei dem ist das keine *Bitte*, sondern ein *Befehl*.«

Mit solchen Annäherungsversuchen wird man immer wieder mal konfrontiert. Ich blickte schüchtern drein und lächelte Jovis, dem Meisterschützen und Möchtegernenthaupter, verschämt zu.

»Ich würde ja sehr gern, guter Wächter, aber ich muss doch zu meiner Herrin zurück. Sie kennen das ja.«

»Die wird dich schon nicht gleich vermissen.«

Ich klimperte lieblich mit den Wimpern und flötete dann: »Ich gehe mal rasch rüber und gebe dem grässlichen Gefangenen die Dinge, die sie ihm schicken lässt. Danach könnte ich ja... nur für einen Moment. Wissen Sie, ich habe die Wächter schon immer sehr bewundert.«

»Ja«, sagte Jovis. »Ihr Mädchen habt alle eine Schwäche für uns.« Der jämmerliche Tropf glaubte das tatsächlich.

Aber der Wein war stark und sie schütteten ihn sich munter in den Schlund. Dank der bereits vorangegangenen Sauferei wurden sie ganz *außerordentlich* betrunken.

Sie winkten mich zum Pavillon weiter, und Jovis versprach, dass wir es gleich zusammen sehr nett haben würden.

Als ich zum Pavillon ging, brüllte ein Löwe – dem Klang nach stand er direkt vor der Mauer.

Die Wächter gluckten belustigt. »Ui, sind heut mächtig laut, die Löwen, was?« Da kippte einer von ihnen vornüber und rollte von der Bank. Die übrigen vier glotzten, und der gute alte Jovis lallte: »Waschlappen. *Hicks.* Der verträgt nix.«

Jetzt wo ich mich etwas sicherer fühlte, drehte ich ihnen den Rücken zu und rief leise zwischen die Gitterstäbe in Nemians Käfig hinein. Ich rief seinen Namen. Zum ersten Mal.

Zunächst kam keine Antwort. Hinter mir prosteten sich die Wächter weiter zu, waren noch immer nicht ganz hinüber.

Und dann ertönte aus dem Dunkel Nemians Stimme.

»Claidissa?«

Mein Herz hüpfte. Mein dummes, dummes Herz. Ich hüstelte, riss mich zusammen und sagte: »Prinzessin Jizania schickt mich.«

»Claidissa«, sagte Nemian noch einmal.

Ich stieß heftig hervor: »Nennen Sie mich bitte Claidi.« Weil es mir zu viel wurde. Das Ganze und *er* und mein neuer Name ...

Es rumpelte auf einmal und tat einen Schlag. Ich schaute mich um. Na *endlich.*

Plötzlich stand Nemian dicht vor mir. Er umklammerte die Gitterstäbe.

»Gott!«, sagte er (schon wieder ein neuer Name – vielleicht ein Ausruf, den sie im Ödland benutzen?). »Sie hat es getan, sie hat ihnen ein Schlafmittel gegeben. Dann stimmt es also. Du holst mich hier raus. Sie hat mir gesagt, dass du es tun würdest. Kluge Claidi.«

Ich öffnete das Schloss, die Gitterstäbe schwangen zur Seite und Nemian trat in die mondhelle, löwenbrüllende Nacht hinaus.

Die Wächter lagen als unappetitlicher Haufen übereinander. Jovis schlief sabbernd mit aufgerissenem Mund

und schnarchte auf das Lauteste. Von ihm hatte ich nichts anderes erwartet.

»Da draußen sind Löwen.«

»Ah, gut«, sagte Nemian.

»Sie sind sehr zahm«, fügte ich hinzu, und in Gedanken: Hoffentlich.

Es war ohnehin nicht weit. Und wir begegneten keinem Löwen, bloß einem kleinen, scharwenzelnden Dachs.

(Ich könnte mir vorstellen, dass die Löwen nur eine Weile im Garten geblieben waren, ihn ein bisschen in Unordnung gebracht hatten und dann eilig in ihr Gehege zurückgetrottet waren.)

Ich habe dir bereits von dem unter dem Garten liegenden Tunnelsystem erzählt, in dem sich die von den Sklaven bediente Heizanlage befindet. (Und auch, dass die Sklaven ein wirklich elendes Leben führen, viel schlimmer als meines.)

Jizania hatte mir den Weg zum Tunnel beschrieben und gesagt, dass man sich darin ganz mühelos zurechtfand, indem man immer rechts abbog. Wenn wir uns von unserem Einstieg aus auf diese Weise fortbewegten, würden wir am Ende außerhalb der Mauern herauskommen!

Rückblickend stelle ich fest, dass ich keine Sekunde zögerte, den Tunnel zu betreten. Verrückt. Aber es war, als könne mich – uns – nichts aufhalten.

Auch Nemian schien mir völlig zu vertrauen. Sie muss ihm den Plan auseinander gesetzt haben, bevor sie mit mir sprach. Und er hatte bestimmt in seinem Pavillon-Käfig gesessen und sich die ganze Zeit gefragt, ob ich den Mut aufbringen würde, ihn zu befreien.

Der Tunneleinstieg befand sich in einem kunstvoll überwucherten felsigen Hügel, von dessen Spitze sich Bäume herabneigten. Ich entdeckte die Tür im Efeudickicht, schloss sie auf (ich nehme an, Jizania hat zu allen Türen Zweitschlüssel anfertigen lassen) und ging hinein. Dann holte ich die erste Küchenkerze aus dem Brotbeutel, zündete sie an und stülpte einen Glaszylinder darüber, damit die Flamme nicht flackerte.

Nemian zog die Tür hinter uns zu.

»Wir müssen immer die rechte Abzweigung nehmen«, sagte ich.

»Ich weiß«, sagte er.

»Und sie hat gesagt«, (ich wieder), »wenn wir an den Sklaven vorbeikommen, sollen wir sie gar nicht beachten.«

»Wieso auch?«, lachte Nemian. »Sind ja Sklaven.«

Seine Reaktion gefiel mir nicht besonders. Wobei ich es mir hätte denken können. Es bedeutet wahrscheinlich, dass es in der Heimat des fürstlichen Nemian ebenfalls Sklaven, Diener und Dienerinnen gibt – und dass sie nicht viel gelten. Jizania war daran gelegen gewesen, ihm meinen »offiziellen« Namen zu nennen. »Er ist über deine königliche Herkunft informiert«, hatte sie gesagt.

Aber darüber konnte ich in diesem Moment verständlicherweise nicht lange nachdenken.

Im Tunnel war es eng, dunkel und gelegentlich, wo Wasser hereinsickerte, feucht. An einigen Stellen wurden die Mauern von Holzstreben gestützt. Hie und da waren sogar ganze Ziegel herausgebrochen. Es war kein genau geplanter Verfall, sondern hatte mit Alter und mangelnder Instandhaltung zu tun.

Nach einer Weile passierten wir eine Art Kellerraum, in dem wie ein albtraumhaftes Ungeheuer ein mächtiger schwarzer Ofen stand. Es brannte kein Feuer darin, da die vergangenen Monate warm gewesen waren.

Später sahen wir einen weiteren und ein paar kleine Löcher in den Tunnelwänden und einmal auch zwei Sklaven, doch die schliefen tief und fest.

In einem anderen Abschnitt hatte sich eine Füchsin ihren Bau eingerichtet. Ich sah ihre Augen glühen, als sie uns im Licht der Kerze beäugte. Und Knochen lagen da.

Als ich die zweite Kerze anzünden musste, begann ich, müde zu werden. Ich war den Tunnel leid. Und Nemian, der hinter mir hertrottete, sich ab und an sein goldenes Haupt an niedrig hängenden Balken oder Felsen anstieß und fluchte, beunruhigte mich mittlerweile mehr, als dass er mich bezauberte.

Dann hörte ich den Fluss. Genau wie Jizania es vorausgesagt hatte.

Ich suchte am Ende des Gangs nach der letzten Tür, zu der mir die Prinzessin den Schlüssel gegeben hatte.

Als wir dort ankamen, fanden wir das Schloss verrostet vor. Ich wollte aufschließen, doch der Schlüssel ließ sich nicht drehen. Er ließ sich *einfach nicht drehen.*

»Lass mich mal«, sagte Nemian. Er hörte sich ungeduldig an. Sofort fühlte ich mich dumm, unfähig und mutlos, und das alles gleichzeitig.

Aber immerhin ging es um sein Leben. Vielleicht erklärte das auch seine gedankenlose Bemerkung über die Sklaven?

Ich trat zur Seite, woraufhin sich Nemian, statt die Tür so zu öffnen, wie ich es versucht hatte, dagegen warf.

Ich bekam einen gehörigen Schrecken, als sie aufsprang.

Es war eine alte Tür, verrostet und morsch, und draußen lag die Welt.

Er ging, ohne zu zögern, hindurch. Ich … ihm hinterher.

»Aber«, stammelte ich dümmlich. »Die Tür …«

»Hierher kommt keiner«, sagte er.

»Aber vielleicht kommt jemand *rein*«, wandte ich ein. »Von … da *draußen*.«

»Wir«, entgegnete er sachlich, »*sind* draußen.«

Und das waren wir.

Und in der Dunkelheit, der Mond war nämlich untergegangen, sah das *Draußen* nicht anders aus als der Garten drinnen.

Der Fluss strömte breit, muskulös und matt glänzend dahin, von hohem Schilfrohr gesäumt, das aufragte wie Eisenstangen. Felsbrocken türmten sich um uns auf, viele davon vor der Tür, was sie recht gut tarnte. Das war günstig, denn er hatte sie ja aufgebrochen.

(Sie werden es bemerken und die Tür reparieren kommen. Zur Sicherheit werden die Wächter so lange Wache halten.)

Ich blickte zurück und dann in die Ferne, den Fluss entlang. Ich sah die befestigten, hohen Mauern des Gartens, schwarz vor dem blauschwarzen Himmel.

Zum ersten Mal betrachtete ich alles von der anderen Seite.

Mein Begleiter hatte sich hingesetzt. Er fragte ungezwungen, leichthin: »Hast du uns etwas zu essen mitgebracht, Claidi?«

Verwirrt packte ich den Imbiss aus, den ich auf Jizanias Anweisung hin aus der Küche des Dienerinnentrakts gemopst hatte, und breitete alles vor Nemian aus. Er schien nicht sonderlich beeindruckt zu sein, aß aber.

Dann legte er sich wieder auf den Boden, und ich begriff, dass er gleich einschlafen würde.

Die ganze Zeit über hatte ich geglaubt, sein Einschlafen vor unser aller Augen im Debattiersaal wäre womöglich gespielt gewesen, eine schlaue List, um Harmlosigkeit vorzutäuschen. Aber inzwischen glaube ich, dass er wirklich nach Belieben einschlafen kann und es auch tut.

Er schläft jetzt. Ich hatte die Kerze erst ausgeblasen, aus Angst, entdeckt zu werden – von den Mauern vom Ödland aus. Dabei sieht es hier gar nicht nach Ödland aus.

Ich beobachtete Nemian eine Zeit lang, obwohl mir das unhöflich erschien. Er ist sehr hübsch. Und… ein Fremder.

Nach einer Weile zündete ich die Kerze, oder was davon übrig war, dann doch wieder an, um weiterzuschreiben. Wirklich, ich bin sehr verwirrt. Ich weiß nicht, wo ich bin. Buchstäblich. Außerdem: Er sieht fabelhaft aus, aber ich kenne ihn überhaupt nicht. Ich kenne mich hier nicht aus. Kenne meine Zukunft nicht. Nicht einmal mehr mich selbst.

Hölle?

Am nächsten Tag sah ich das Ödland. Es war gar nicht zu übersehen. Die Sonne ging vor mir auf, orangerot traf sie meine Augen und hinter mir die Felsen. Der Fluss glühte rot. Einige Vögel zwitscherten, schrill und *anders.* Nemian schlief noch, wie einer der verzauberten Prinzen aus den Büchern der Hausbibliothek.

Steifbeinig und ausgekühlt erhob ich mich und ging zum Fluss, um kurz darauf am Ufer entlangzuschlendern, bis dahin, wo sich das Land der Sonne entgegenwölbte.

Als ich den Hügel hinaufgestiegen war, sah ich die Luftschicht unter der Sonnenscheibe flimmern. Und als ich auf dem Gipfel stand, erkannte ich in dem Flimmern andere, weiter entfernte Berge. Sie wirkten ausgedörrt, weiß. Rechts von mir schlängelte sich der Fluss durch die Hügellandschaft, bis er verschwand – gänzlich. Lediglich Dunst blieb zurück.

Zwischen diesem Teil und den weit entfernten, fahl und trocken aussehenden Bergen erstreckte sich ein enormes, fürchterliches Nichts. Das heißt, natürlich war da etwas. Aber dieses Etwas *war* nichts. Ein Streifen Land – oder Sand – oder Staub – mit verschwommenen Schatten darin. Mit geneigten Flächen, die die Sonne noch erfasste, die jedoch keine echten *Formen* waren. Nichts Baum- oder Buschartiges und erst recht kein Bauwerk. Nichts Erkennbares.

Dieses Nichts schien sich über viele Meilen auszudehnen, unendlich viel weiter als der Garten um das Haus.

Schließlich blickte ich zurück, wie es die Verbannten auf manchen der Gemälde im Schwarzen Marmorgang tun.

Hinter den hohen Mauern, die ich für alle Zeiten hinter mir gelassen hatte, erblühte honiggelb und rosig die Morgendämmerung. Am Himmel darüber flogen Vögel. Es sah alles behütet und sanft und schön aus. Aber es war ein Traum und ich war erwacht.

Ich sah wieder auf das Ödland hinaus. Ich schluckte.

Wir frühstückten, was vom Essen übrig war. Nicht viel. Nemian hatte das meiste am Abend zuvor gegessen.

Beiläufig sagte er: »Wir hätten gestern natürlich noch weitergehen können, aber sie werden wohl nicht allzu versessen darauf sein, uns zu verfolgen. Vermutlich lassen sie es sogar ganz bleiben. Die gehen nicht hier raus.« Dann fügte er hinzu: »Der Ballon geht mir ab. Aber den haben sie ja gründlich ruiniert. Allerdings hätte ich sowieso Balloneure gebraucht, um das Ding wieder in die Luft zu bringen.«

»Ach ja?«, sagte ich. Ich verstand kein Wort.

»Ich bin ja kein Ingenieur«, erklärte Nemian und schien darüber eher erfreut zu sein. »Tja, das ist das Problem«, sagte er, »wenn man immer von Sklaven umgeben ist, die alles für einen erledigen. Wir beide sind ein tolles Gespann. Ich hoffe, du hältst durch, Claidi.«

»Oh, ähm … ich versuche es.«

»Zu Fuß wird die Reise kein Zuckerschlecken. Und ich denke mal, bislang beschränkte sich deine körperliche Betätigung darauf, das Tanzbein zu schwingen oder deinem Schoßhündchen eins aufs Popöchen zu geben.«

Mir fiel die Kinnlade nach unten. Das scheint in letzter Zeit ziemlich häufig zu passieren. Es gibt eine Menge Dinge, die meine Kinnlade herunterfallen lassen.

»Aber ich habe doch mein Leben lang gearbeitet«, wandte ich schwach ein.

Nemian schmunzelte. »Arbeit... Gedichte schreiben«, sagte er, »und über Rätseln brüten, ja? Mhmmm.«

»Nein«, fauchte ich. »Böden schrubben, Botengänge erledigen, Wäsche waschen, Gesichtspuder mahlen ...«

Er lachte. Sehr weltmännisch natürlich. Seine Locken in der Sonne...

»Na gut«, sagte er schließlich. »Dann wollen wir mal so tun, als hättest du gearbeitet.«

Wir gingen zum Fluss hinunter, um die Flasche, die ich mitgebracht hatte, mit sauberem, wenn auch ziemlich trübem, ungefiltertem Wasser zu füllen, in dem zweifellos eine Menge Nilpferdkötel schwammen.

Meine Gedanken kreisten um das, was er gesagt hatte. Offenbar hielt mich Nemian für eine *echte* Prinzessin des Hauses. Und wenn ich königlicher Abstammung war, musste ich folgerichtig wie die königlichen Herrschaften gelebt haben.

Während dieser ganzen Zeit befanden wir uns kaum eine halbe Meile von den Mauern des Hauses und des Gartens entfernt, und meine Angst, die Wächter könnten plötzlich herausmarschiert kommen und uns gefangen nehmen, wuchs. Aber es kam niemand. Natürlich nicht. Obwohl ganz in der Nähe, waren wir doch im Ödland, in der Hölle auf Erden, verloren und unerreichbar.

Schließlich machten wir uns hügelaufwärts auf den Weg. Auf dem Gipfel sah sich Nemian seufzend um. Er warf mir einen skeptischen Seitenblick zu.

»Glaub bloß nicht, dass ich dich trage, Claidi, wenn du müde bist.«

Das ärgerte mich. Wer, bitte schön, hatte ihn denn befreit? Aber ich sagte nichts. Ich war es gewöhnt, Höherstehenden gegenüber den Mund zu halten.

Als wir hinuntergingen, benutzte er wieder den Ödlandausruf: »Guter Gott! Wenn ich geahnt hätte, *was* ich alles mitmachen muss!«

Danach trotteten wir schweigend weiter. Nemian ein Stück vor mir her.

Als wir schließlich die Ebene erreichten – falls es denn eine war –, sah der Boden dort wie zerknittertes, puderbestäubtes Pergament aus.

Bei jedem Schritt stiegen Staubwölkchen auf. Wir husteten und dabei schien sich der Sand in unseren Kehlen festzusetzen. Wir fanden uns damit ab.

Die Sonne stieg höher. In der Ferne ragten die glitzernden Phantome der Berge auf. Die Mauern des Hauses waren verschwunden. Ich werde sie nie wieder sehen.

Es war heiß. Schon jetzt.

Ich habe mir im Laufe meines Lebens angewöhnt, den Groll über Ungerechtigkeiten herunterzuschlucken.

Und... na ja, ich habe dir ja gesagt, dass ich in ihn verliebt bin.

Außerdem sind wir jetzt nun einmal hier und er scheint sich auszukennen. (Wirklich?) Ich überhaupt nicht.

Aber dieser erste Tag war die reinste Folter.

In meinem Bündel, das ich mir über den Rücken geschwungen hatte, so wie die Übeltäter in den Hausgemälden ihre Sünden auf den Schultern tragen, hüpfte dieses

Buch auf und ab. Ich hatte nicht das Herz hineinzuschreiben, und sowieso gar keine Gelegenheit, und später war ich zu erschöpft.

Er hatte Recht. Ich bin vielleicht zäher, als er denkt, aber so etwas habe ich nun wirklich noch nie mitgemacht.

Die Erde war steinhart. Es klingt vielleicht dumm, aber es war, als würden wir bei jedem Schritt einen Schlag auf die Fußsohlen bekommen. Der Schmerz fuhr uns direkt in den Rücken. Und von oben knallte uns die Sonne auf den Kopf.

Die Landschaft war so eintönig, wie sie vom Hügel aus gewirkt hatte. Ein paar fies aussehende Felsbrocken lagen herum. (Sie sahen wirklich fies aus. Wie gemeine Ungeheuer, die zu Stein erstarrt waren, sich aber jederzeit wieder zurückverwandeln könnten.)

Ich sah eine Echse. Rosa mit einer schwarzen Schlangenlinie auf dem Rücken. Nemian fiel sie gar nicht auf oder er war an solche Anblicke einfach gewöhnt.

Außerdem kreisten über uns ein paar Vögel, schwarze, zerrupfte Dinger. Sie schienen an uns interessiert zu sein, drehten dann jedoch wieder ab.

Mittags rasteten wir neben einem ausnehmend schlecht gelaunt aussehenden Felsen. Wir tranken ein wenig Wasser und Nemian schlief ein.

Ich weine nicht oft. Es hilft ja nichts. Aber als ich so dasaß, hätte ich es am liebsten getan. Und dann dachte ich an meine Eltern, die genau dieselbe fürchterliche Reise unternommen hatten, und ich hoffte, dass sie sie überstanden hatten und irgendwo angekommen waren, denn es muss ja wohl ein Ziel geben, an dem man ankommen kann …

Wenn ich die Hoffnung habe, sie könnten es geschafft haben, dann sollte ich es mir auch zutrauen. Kindischerweise wünschte ich mir, Nemian wäre netter. Statt zu sagen, dass er mich nicht tragen würde (als ob ich ihn darum gebeten hätte), hätte er doch auch sagen können: »Du hast mir das Leben gerettet, Claidi. Wir schaffen das schon. Ich helfe dir.«

Ich betrachtete sein Gesicht. Einmal hatte er wohl einen Traum, denn er bewegte sich, runzelte die Stirn und warf den Kopf auf seinem zum Kissen zusammengerollten Mantel hin und her. Ich beugte mich über ihn und flüsterte, wie ich es bei Daisy immer getan hatte, wenn sie schlecht träumte: »Ganz ruhig. Alles wird gut.«

Hoffentlich geht es Daisy gut. Und Pattoo und den anderen. Ich werde es wohl nie erfahren.

Dieser Tag war wirklich grauenhaft. Die Landschaft schien ewig die gleiche zu bleiben. Die Berge in der Ferne rückten kein Stück näher.

Die Sonne wanderte höher und über uns hinweg. Zuletzt ergoss sie sich in einen glimmenden, aus goldenen Fäden gestickten Sonnenuntergang, mit Vögeln, die wie pfeilschnelle Sticknadeln hin und her schossen, zu hunderten, wie es schien.

Mit der Dämmerung kam willkommene Kühle auf, die rasch zu Kälte wurde.

Mittlerweile waren wir an einem sonderbaren Ort angekommen. Am Morgen war er wohl durch die Entfernung oder das Gefälle noch vor uns verborgen geblieben. Inmitten von Felsbrocken lag ein kleiner Tümpel, in den ein Wasserfall sprudelte. Sehr idyllisch. Das Ganze ähnelte den künstlichen Anlagen im Garten. Aber dieses Tümpelwasser war, genau wie der Wasserfall, von einem trüben, uralten Grün.

»Abscheulich«, sagte Nemian. »Rühr das Wasser auf gar keinen Fall an. Es ist ungenießbar. Tödlich.«

Ich war durstig und ausgehungert. Früher hatte ich schon mal ein Essen ausfallen lassen müssen (wie Daisy), aber noch nie sämtliche Mahlzeiten eines ganzen Tages.

Wir rasteten in der Nähe des Tümpels. Das sanfte Plätschern des Wasserfalls beruhigte mich, doch die beruhigende Wirkung ließ schlagartig nach, als mir wieder einfiel, dass er giftig war. Das war also eine der Widerwärtigkeiten des Ödlands, von denen sie uns immer erzählt hatten.

Nemian zog ein schmales emailliertes Döschen aus der Tasche. Er klappte den Deckel auf und hielt es mir hin. Es lagen kleine kandierte Stäbchen darin.

»Da«, sagte er. »Die enthalten genauso viele Nährstoffe wie ein Grillhähnchen mit Gemüsebeilage. Wird jedenfalls immer behauptet.«

Zaghaft bediente ich mich. Er nahm sich ebenfalls eines. Er kaute und schluckte es schnell herunter und lehnte sich dann mit dem Rücken an den Felsen. »Allerdings ist es längst nicht so delikat wie Grillhähnchen. Oder was meinst du?«

Ich zerkaute das Stäbchen vorsichtig. Es schmeckte würzig und süß wie Jadeblatts Konfekt. Kaum hatte ich es gegessen, war der Hunger verschwunden. Und ich fühlte mich auch nicht mehr ganz so schlapp und müde.

Wir teilten uns den letzten Wasserrest.

»Du musst entschuldigen, Claidi!«, sagte Nemian, als sich der schwärzer werdende Himmel mit immer weißer glühenden Sternen füllte. »Ich bin momentan wohl nicht gerade der angenehmste Reisebegleiter. Was passiert ist, macht mich immer noch wütend – aber ich bin zugleich glücklich. Und zwar, weil ich dich kennen lernen durfte. Das Ganze hat etwas … beinahe schon Übernatürliches. Du bist …« Er stockte und gleichzeitig setzte mein Herzschlag aus. »Du bist ein Wunder, Claidi. Bitte verzeih mir, dass ich so ein Tropp bin.«

Ich blinzelte. Was war denn ein *Tropp*? Egal. Mir wurde wärmer. Wie hell die Sterne funkelten. Er fand mich nicht grässlich oder bedauernswert.

Ich schlummerte ein, während ich dem Gifttümpel lauschte, und ich träumte, dass ich hineinfiel und von Nemian gerettet wurde. Die Sorte Traum, die wunderschön ist, wenn man sie träumt, und unendlich peinlich, wenn man sie erzählt. Du weißt schon.

Am nächsten Tag wurde alles anders.

Stürmische Witterung

Irgendwann muss ich halb aufgewacht sein. Die Sterne glühten hellrot. Meine Vernunft sagte mir, dass es ein Traum sein musste, aber es war keiner.

Als ich das nächste Mal erwachte, war es lichter Tag.

Nur dass es nicht Tag war.

Nemian schüttelte mich. Man sollte nie jemanden auf diese Art wecken, es sei denn, es geht um Leben und Tod. Aber das war vermutlich der Fall.

Auch über das Haus waren schon Sandstürme hinweggezogen, doch bis sie dort ankamen, hatten sie sich meist bereits ausgeweht und wurden außerdem von der andersartigen Luftzusammensetzung des im Garten herrschenden Mikroklimas abgeschwächt. Sie hatten nie auch nur annähernd diese Stärke erreicht.

Die Luftschichten brachen über mir zusammen wie einstürzende Mauern. Sie leuchteten ringelblumengelb oder blutrot und dazwischen wirbelte es in Grau.

Spiralen rotierten. Hell und Dunkel wechselten sich ab. Das Licht erstickte im Rot, nur um im nächsten Augenblick als zuckender Blitz wieder aufzuleuchten.

Man bekam keine Luft oder hatte zumindest das Gefühl, keine zu bekommen. Ich hatte mir für die Flucht ein altmodisches Kleid mit einem gewöhnlichen Rock angezogen. Es wurde hinten mit einer Schärpe zusammengebunden, die Nemian jetzt aufknotete und mir über Nase und Mund wickelte. Er selbst hatte sich einen ähnlichen Atemschutz gebastelt.

Aber unsere Augen! Der Sand und der Staub darin brannten ganz fürchterlich. Und die Sandkörner kratzten.

Auf der Suche nach einem Unterschlupf krochen wir zwischen den Felsen herum, doch der Wind wühlte den Tümpel auf und trieb das Wasser des Wasserfalls zu uns herüber. Nemian brüllte mir zu, wir müssten um jeden Preis vermeiden, von den giftigen Tropfen getroffen zu werden. Irgendwann lag die Stelle mit den Felsbrocken unversehens hinter uns und wir fanden inmitten des Durcheinanders nicht mehr zurück.

Das ohrenbetäubende Brausen des Staubsturms jagte mir eine Heidenangst ein. Er klang furchtbar, grausam und willkürlich. Und genau das war er ja auch.

Ich tastete – reflexartig – nach meinem kleinen Bündel.

Während wir vorwärts stolperten, griff Nemian nach meiner Hand. Was ich, wie ich beruhigt vermelden kann, in dieser Situation nicht als sonderlich prickelnd empfand.

Er schrie mir zu, wir müssten unter allen Umständen zusammenbleiben.

Mit gesenkten Köpfen kämpften wir uns voran. Die Staubstürme peitschten und schlugen uns ins Gesicht. Offenbar, so schloss ich aus Nemians Gesicht, gab es eine weitere felsgeschützte Stelle weiter vorn, die er entdeckt hatte, als sich die Sturmfront zusammenzubrauen begann. Dort waren wir vielleicht sicherer.

Es war zwecklos. Letztendlich kauerten wir uns einfach hin und hielten uns schützend die Arme über den Kopf. In

Nemians Fall nur einen, den anderen hatte er um mich gelegt.

Zu jedem anderen Zeitpunkt wäre das fraglos traumhaft gewesen, aber jetzt war ich nur starr vor Angst. Nicht direkt wegen des Sturms, obwohl Nemian mir hinterher versicherte, man könne darin umkommen, was ich ihm glaube. Sondern wegen dessen schierer Naturgewalt.

Und auf einmal, ganz unvermutet, erstarben die Winde (sie schienen aus sechs Richtungen zu wehen) und fielen wie heiße, trockene Wäschestücke zu Boden, wobei um uns herum kleine Steine und Sandkörner auf die Erde prasselten.

Als wir aufschauten, bot sich uns – mir – der seltsamste Anblick, den ich jemals gesehen habe.

Die Hausbücher, in die ich verstohlene Blicke geworfen hatte, enthielten Abbildungen alter Städte, wie es sie früher in der Welt gegeben hat, bevor sich das Ödland überall ausbreitete. Und was ich jetzt vor mir sah, war zweifellos solch eine Stadt – oder ihre Überreste.

Das Land fiel sanft ab, und vor uns lag eine Art Senke, aus der mehrere Türme emporragten. Sie hatten Fenster oder Löcher, in denen sich einmal Scheiben befunden hatten, reich verzierte Dächer, Kuppeln und Sockel. Da waren auch Pfeiler, eine ganze hintereinander stehende Reihe, die sich vielleicht über eine Meile erstreckte. Hauptsächlich sah ich Mauern und gemeißelte Ornamente oder was davon übrig geblieben war. Unter anderem eine übergroße, mit steinernen Blumen gefüllte Vase.

Mir tränten die Augen und das Bild begann zu verschwimmen.

»Von oben habe ich gar nichts davon gesehen«, wunderte ich mich.

Nemian klang gereizt. »Das kann gut sein. Die Winde decken manches auf, genauso wie sie es begraben.«

Ich hatte angenommen, der Sturm habe sich gelegt, aber nein. Er hielt nur inne und gab mir etwa eine Sekunde lang die Chance, mir die Ruinenstadt wie zur Belehrung anzusehen, bevor er von neuem mit Getöse loslegte.

Wie lange es diesmal dauerte, kann ich nur vermuten. Es kam mir vor wie Stunden. Irgendwann lag ich bäuchlings auf dem Boden. Ich sage es nur höchst ungern, aber ich glaube, ich wimmerte leise vor mich hin. Vielleicht auch nicht. Vielleicht war es eher ein Ächzen. Nemian war jedenfalls vollkommen still. Und als alles vorbei war, befürchtete ich sogar, er sei erstickt.

Doch er setzte sich auf, schüttelte sich und kämmte sich mit den Fingern Hände voll weißem und gelbem Sand aus den Haaren.

Mir kam ein abwegiger Gedanke... aber das konnte eigentlich nicht sein, oder? War er am Ende wieder eingeschlafen? Traute mich nicht, ihn zu fragen.

Ich erhob mich, klopfte meinen Rock aus und schüttelte mein Haar, was ich aber schnell wieder aufgab. (Ich sah bestimmt wie Nemian aus, so als hätte man mich erst angefeuchtet und anschließend in Mehl paniert.)

Als ich mich umsah, war die Ruine spurlos verschwunden. Die Senke war zum Berg geworden.

Als wir diesen etwa eine Stunde später bestiegen, stolperte ich über eine aus dem Sand ragende Steinblume aus der begrabenen Vase.

Nemian sagte nichts dazu, dass er mich an der Hand genommen, also anscheinend hatte beschützen wollen. Er blickte kurz stirnrunzelnd aufs Ödland hinaus, doch sein

Gesicht wurde sofort wieder glatt und schön. (Sein Haar hatte jedoch seinen Glanz eingebüßt.)

Er lobte mich. »Wie gut, dass du an die Wasserflasche gedacht hast.« (Sie lag in meinem Beutel.) Und dann: »Auf dich ist Verlass, Claidi.«

Dabei hatte ich nach dem Beutel gegriffen, weil das Buch darin lag. Die Flasche war schließlich längst leer.

Mir fallen unzählige Fragen ein, die ich hätte stellen sollen. Ich wette, du hättest gefragt. Du hättest zum Beispiel wissen wollen: *Wohin gehen wir eigentlich?* und *Was wird aus mir, wenn wir dort sind?* Und du hättest vermutlich auch dafür gesorgt, dass er erfährt, dass Claidi, auch wenn sie zur einen Hälfte möglicherweise königlicher Herkunft ist, in erster Linie Mädchen für alles und Fußbodenwischerin und später Jadeblatts versklavte Dienerin war.

Ich fragte und sagte nicht viel. Ich will mich nicht herausreden, aber ich war so schrecklich müde. Verglichen mit dieser Erschöpfung, waren die Müdigkeit und der Überdruss, die ich im Haus empfunden hatte, gar nichts gewesen.

Andere hätten möglicherweise die pure Abenteuerlust und die Zuversicht bei Laune gehalten. Ich dagegen war ziemlich verstimmt. Hauptsächlich wegen des Ödlands. Und wegen Nemian. Und mir selbst.

Die Sonne stieg höher und wurde heißer und unerträglicher und ich sehnte mich verzweifelt nach einem Schluck Wasser. Man ahnt gar nicht, wie quälend Durst ist, bevor man darunter leidet. Viel schlimmer noch als Hunger.

Nachdem wir die verschüttete Stadt hinter uns gelassen hatten, wurde der Boden immer holpriger und doch blieb alles beim Alten. *Wumm* machte es bei jedem Schritt – wie ein Schlag auf die Fußsohlen.

Weit, weit in der Ferne, noch immer kein Stück näher, ragten die fahlen, vertrockneten Berge empor – und wirkten alles andere als einladend.

Wir kamen zu einem Felsen. Ein einzelner Felsen nur, doch er warf Schatten. Dort setzten wir uns hin.

Nemian streckte seine langen Beine aus. Seine Kleidung war mal so makellos gewesen – jetzt nicht mehr.

»Sehr tapfer«, sagte er anerkennend, »dass du nichts von dem Wasser getrunken hast.«

»Es ist keins mehr da.«

Ich dachte, er hätte das gewusst.

»Oh«, machte er. Er runzelte die Stirn. »Hattest du keins mitgenommen?«

»Doch. Du … wir haben es ausgetrunken.«

»Ja, natürlich. Aber ich dachte, wir hätten mehr. Du musst doch gewusst haben, dass ein langer Marsch vor uns liegt. Hat die Prinzessin dir das nicht gesagt?«

Hatte sie? Ich glaube nicht. Wahrscheinlich hätte es mir mein gesunder Menschenverstand sagen müssen und ich bin schlicht dämlich. Andererseits hätte ich nicht viel mehr tragen können. Aber er. Vielleicht.

Nemian zog die emaillierte Dose aus der Tasche und bot mir eines der kandierten Stäbchen an.

Mein Mund war so ausgetrocknet und meine Kehle so ausgedörrt, dass mir das Kauen Mühe bereitete.

Aber es half. Sogar der Durst war danach nicht mehr qualvoll, sondern bloß lästig.

»Da drüben irgendwo«, sagte Nemian und wedelte mit der Hand unbestimmt in Richtung Berge, »muss eine Stadt liegen. Ich habe sie vom Ballon aus gesehen. Da finden wir vielleicht ein Fahrzeug zur Weiterreise. Falls die Leute dort nicht sehr unfreundlich sind. Was natürlich sein kann.«

Ich hatte immer angenommen, im Ödland sei sowieso alles und jeder unfreundlich. Aber Nemian kam auch von hier.

Er schloss die Augen. Ich hörte mich mit unterdrückter Panik sagen: »Bitte nicht…«

»Bitte nicht – was?«

Ich hatte sagen wollen: Bitte nicht einschlafen. Sprich mit mir, bitte. Aber mit welchem Recht sollte ich solche Forderungen stellen?

Als ich nicht weiterredete, zuckte er mit den Achseln und schlief ein.

Missmutig hockte ich da.

Ich wollte tapfer sein. Ich versuchte, mir einzureden, es sei vernünftig von ihm, zu schlafen, und ich sollte es genauso tun. Doch das kandierte Gewürzstäbchen hatte mich hellwach gemacht, obwohl ich zugleich todmüde blieb.

Also saß ich da und starrte beunruhigt in die Ebene hinaus.

Nach wie vor wirbelten dünne Staubspiralen unter gewaltigen, hohlen Wolken um die eigene Achse. Ein großer schwarzer Vogel schwebte bewegungslos am Himmel, als hinge er an einem unsichtbaren Faden.

Nemian hatte mich bloß deshalb an die Hand genommen und den Arm um mich gelegt, damit wir uns nicht verloren. Er fühlte sich für mich verantwortlich, wie ein gütiger Prinz gegenüber seiner Dienerin. Und ich hatte ihn enttäuscht. Ich hatte zu wenig Wasser mitgenommen.

Ich dachte daran, dass es mich verärgert hätte, wenn sich

im Haus jemand so benommen hätte wie er. Aber weil es Nemian war, hatte *ich* das Gefühl, etwas falsch gemacht zu haben. Ist das sehr Besorgnis erregend?

Wieder quoll eine gewaltige gelbe Wolke dicht über dem Boden auf uns zu. Sie wurde größer.

Ich hatte sie schon eine Weile beobachtet, bevor ich sie richtig wahrnahm. Ohne nachzudenken, sprang ich mit einem lauten Heulen auf.

Nemian erwachte.

»Bist du ein Mädchen oder ein Springbock?«

»Der Sturm – es geht wieder los!«

Er betrachtete die Wolke mit kühlem Blick.

»Nein. Das ist nicht der Sturm. Reiter und Fahrzeuge.«

Und dann war er auch schon mit einem einzigen eleganten Satz auf den Beinen und rannte fort von mir, über die Ebene, der Staubwolke entgegen.

Ließ er mich im Stich? Sollte ich ihm nachlaufen? Das schien mir das Beste zu sein.

Ich stolperte ihm in keuchendem Galopp hinterher.

Die Wolke (Reiter und Fahrzeuge) bewegte sich von rechts nach links über den Horizont, in einem leichten Bogen auf uns zu. Da die Ebene so flach war, hatte ich anfangs nicht gesehen, dass die Kolonne auf einer Art primitiver Straße unterwegs war, die der Sturm wahrscheinlich freigelegt hatte.

Wie weit sie entfernt war? Meilen. Vielleicht auch weniger. Immer wieder musste ich stehen bleiben, um Atem zu holen, aber in der Zwischenzeit waren einige der Fahrzeuge auch schon langsamer geworden und hatten schließlich ganz angehalten.

Als ich endlich taumelnd bei ihnen ankam, unterhielt

sich Nemian gerade mit den sieben braungesichtigen Männern aus den zwei stehen gebliebenen Wagen. Die anderen waren weitergefahren.

Es herrschte ein *irrsinniger* Lärm. Das lag daran, dass die beiden Streitwagen (ähnliche kannte ich aus dem Garten – die Prinzen lieferten sich darin manchmal Rennen) jeweils von sechs sehr großen Widdern mit spiralförmig gezwirbelten Hörnern gezogen wurden. Einige der Schafe blökten dumpf. Und auf einmal fiel mir auf, dass die Fahrer der Streitwagen ebenfalls blökten. Und sogar Nemian.

Einen Moment lang dachte ich, ich sei übergeschnappt. Oder sie.

Dann drehte sich Nemian um und sah mich mit strähnigem Haar und heruntergefallener Kinnlade – wie üblich – dastehen.

Er zog lächelnd eine Augenbraue hoch.

»Hallo, Claidi. Du hättest doch nicht so rennen müssen. Diese Leute sind Schafler. Ich spreche ihre Sprache.«

Einer der braunen Männer, die alle ihr Haar zu perlengeschmückten Zöpfchen geflochten trugen (übrigens ebenso wie die vor die Wagen gespannten Schafböcke), fragte laut: »B'nääää?«

Nemian wandte sich ihm zu und blökte eine Antwort.

Kurz darauf sprang einer der Männer aus einem der Fahrzeuge heraus und schwang sich auf das andere. Hilfreiche Hände streckten sich Nemian und mir entgegen und zogen uns auf den hinteren Streitwagen hoch.

Es roch ziemlich ölig und wollig darin. Doch dann wurde uns – was für eine Erleichterung – ein lederner Schlauch hingehalten. Nemian ließ mich galanterweise zuerst trinken. Es war aber kein Wasser, sondern lauwarme Schafsmilch, was meine Begeisterung etwas dämpfte. Trotzdem linderte sie den Schmerz in meiner ausgedörrten Kehle.

»Wir fahren mit ihnen zur Stadt der Schafler«, ließ mich Nemian wissen.

Eine Peitsche knallte durch die Luft, ohne die wolligen Rücken zu berühren, und los ging es.

Die Stadt der Streitwagen

Was für ein Willkommen.

Durch ein in eine dicke Mauer gebrochenes viereckiges Tor, das gerade hoch genug war, dass man darunter hindurchfahren konnte, ging es hinein in die braune Stadt der Schafler. Alle waren sie mit Lampen in die Dämmerung herausgekommen. Lachende Frauen, die Säuglinge in die Höhe hielten, kreischende Kinder, die auf und ab hüpften, Greise, die sich auf Krücken stützten, und jede Menge Omääs (so nennen sie die alten Frauen) – beinahe alle schlugen Trommeln oder bliesen in Pfeifen und einige warfen sogar mit Blumen – einer ausgesprochen *harten* Sorte weißer Mohnblumen.

Ich dachte mir – wenn auch nicht in diesem Moment –, dass die wagenlenkenden Schafler wahrscheinlich lange Zeit fort gewesen sein mussten, um Handel zu treiben. Mit anderen Schaflern? Wer weiß? Jedenfalls schienen sie erfolgreich gewesen zu sein. Und das Beste war, dass der Sturm die Straße freigefegt und ihre Heimreise dadurch verkürzt hatte. Obwohl wir trotzdem noch bis Sonnenuntergang mit ihnen unterwegs gewesen waren.

In dem Moment, als der Himmel in Flammen aufging, waren die Berge schlagartig näher gerückt, die Straße hatte eine Kurve beschrieben, und als die Wagen um die Biegung herumrasten, hatten wir zwischen zwei dicht nebeneinander stehenden Bergen die Stadt liegen sehen, wie zwischen den Pranken eines Löwen eingebettet.

Die Schafler haben sie – im Gegenteil zu ihrer sonstigen Angewohnheit, alles nach ihren Schafen zu benennen – nach ihren Fahrzeugen »Stadt der Streitwagen« getauft.

Nemian glaubt, dass die Stadtmauern möglicherweise von einer anderen, älteren Siedlung stammen. Die Schafler haben sie nur ausgebessert und ihre Stadt darin errichtet.

Die Häuser bestehen aus Holz und Häuten. (Nicht aus Schafshäuten. Die Leute hier würden *niemals* ein Schaf töten.) Zu jedem Haus gehört ein seltsames offenes Gärtchen, mit ausgesprochen kurzem gelbbraunem Rasen.

In der Stadtmitte befindet sich ein größerer Garten, der teilweise grün bepflanzt ist und in dem ein paar Bäume stehen. Mehrere nebeneinander liegende Teiche werden vom Grundwasser gespeist. Das Wasser ist sauber (abgesehen von dem, was die Schafe dort hineinmachen, natürlich).

Wenn die Schafe nicht vor die Wagen gespannt werden, trotten sie einfach frei in der Stadt herum. Alle streicheln sie und machen ihnen Platz und schimpfen nicht einmal mit ihnen, wenn sie die Wäsche fressen. Die Tiere gehen auch in den Häusern ein und aus und lassen dabei überall ihre Kötel fallen, aber die werden als Brennmaterial benutzt. (Sehr praktisch.)

Die Leute striegeln ihre Schafe sorgfältig und flechten ihnen Perlen und Schleifen ins Fell. Manchen bemalen sie auch die Hörner.

Die Schafe tragen Hufeisen. Sie liefern Wolle, Milch und Käse. (Der ganz gut schmeckt, wenn man sich daran gewöhnt hat. Ich *glaube*, ich habe mich schon daran gewöhnt.)

Die Schafler können mit ihren Schafen sprechen (?)

und die Schafe anscheinend auch mit ihnen (?) – blökend. Jedenfalls scheinen sie einander mühelos zu verstehen.

An den Wänden des Gästehauses, in dem wir untergebracht sind, hängen überall Schafgeschirre. Und nachts werden in den Schädeln berühmter alter Schafe, die friedlich eines natürlichen Todes gestorben sind, Kerzen entzündet. Jede Familie besitzt solche Schädel. Sie werden von einer Generation zur nächsten vererbt.

Die Schafe weiden die Rasenflächen ab. Deshalb sehen sie auch so gepflegt aus. Die Rasenflächen, nicht die Schafe.

Der Anführer hier wird als »Schäfer« bezeichnet.

Oje, jetzt habe ich die ganze Zeit von Schafen geschrieben.

Das scheint richtig ansteckend zu sein.

Ich habe alles aufgeschrieben, was bis jetzt passiert ist.

Wir sind seit fünf Tagen in der Stadt.

Nemian hat heute mit mir gesprochen. Ich sehe ihn nicht so häufig, außer beim Frühstück und/oder Abendessen. (Bergeweise Käse, Milchsuppen, Salate, sandiges Brot. Bier – von dem ich Schluckauf bekomme, was den schlechten Eindruck, den ich hier mache, noch verschlimmert.) Hinterher unterhält sich Nemian blökend mit den Einheimischen.

In unserem Gespräch vorhin hat er mich als »erstaunlich geduldig« gelobt. Als hätte ich überhaupt eine andere Wahl.

Nemian ist den ganzen Tag mit den Schaflern unterwegs. Er sprach davon, dass öfters andere Reisende hier durchkämen, die uns möglicherweise mitnehmen könnten. Vielleicht an einen Ort, an dem es Ballons und Balloneure gibt. Nach *Hause* also. (Wo auch immer das sein mag.) Die Schafler mögen ihn. Kein Wunder.

Bin verzweifelt.

Bah, wie das klingt. Wie eine quengelnde Hausprinzessin. *Ooh, ich bin ja sooo verzweifelt.*

Aber ich bin's.

Ich war in der Stadt bummeln und habe mit ein paar Frauen zu sprechen versucht, die Schafe molken oder Schafskäse herstellten oder Schafe striegelten oder ihre Kinder. Aber wir verstehen einander nicht. Ich habe festgestellt, dass es gut ankommt, wenn ich im Vorbeischlendern ein kurzes, fröhliches Blöken von mir gebe, was sich für sie wie ein höfliches und freundliches »Hallo« anzuhören scheint.

Nemian sieht wieder unglaublich gut aus. Wir können uns hier baden und uns die Haare waschen, obwohl das Wasser ziemlich kalt ist (ein Eimer heißes Wasser auf drei kalte). Alle sind hin und weg von ihm.

Er hat mir erzählt, die Schafe seien sehr wild und könnten es mit Löwen aufnehmen. (Schlagen sie sie mit ihren Hufeisen bewusstlos?)

Ja, sogar mit Nemian habe ich mich über Schafe unterhalten.

Deprimierend.

Jetzt sind wir schon acht Tage hier, was auch deprimierend ist.

Bin deprimiert.

Habe die Nase voll von mir. Wieso bin ich deprimiert? Ich bin *draußen im Ödland.* Mit *Nemian* zusammen. Beinahe jedenfalls.

Bin deprimiert.

Mein Gott – ich glaube, ich weiß jetzt, was das bedeutet, und sollte es in diesem Zusammenhang vielleicht nicht verwenden. Daisy und Dengwi fanden mich immer zickig, weil ich nie geflucht habe.

Aber das hatte damit zu tun, dass die königlichen Herrschaften im Haus so viel fluchten, und aus lauter Hass auf sie wollte ich nichts tun, was sie taten – soweit es sich vermeiden ließ. (Wenn Nemian flucht, klingt es nicht ganz so schlimm, muss ich zugeben.)

Dieser Gott scheint so eine Art übergeordnetes, übernatürliches Wesen zu sein. *Nicht* menschlich. So richtig begreife ich es aber nicht. Den Ausruf habe ich einfach übernommen, genau wie diese Macke, ständig über Schafe zu reden …

Aber jetzt zu etwas anderem. Heute Abend hat mich Nemian zur Seite genommen. Es war sensationell. Wir haben uns richtig unterhalten, und zwar stundenlang.

Es ergab sich während des Abendessens. Die Tische aus rohen Holzplanken stehen draußen auf einer Art Terrasse aus aufgehäuften Kopfsteinen. Die Luft war sauber und frisch und der Himmel färbte sich nur sehr langsam dunkel.

Alle blökten fröhlich durcheinander. Ich saß frustriert dabei und lächelte dann und wann und nickte mit einem schnellen Blöken zurück, wenn mich jemand anblökte: »Clääädi-bää!«

Als die Kampftrinkphase erreicht war, stand Nemian auf. »Was hältst du von einem kleinen Spaziergang, Claidi?«, schlug er vor. »Es ist ein schöner Abend.«

Ein paar der Schafler schauten grinsend weg. Und ich spürte, wie ich rot anlief, was mich wütend machte. Deshalb sagte ich mit ungerührter Miene: »Ach, weißt du, ich bin ein bisschen müde. Ich glaube, ich gehe lieber wieder rein …« Ich hätte mir die Zunge abbeißen können.

»Lass dich doch bitte überzeugen«, drängte Nemian auf seine gewinnende Art. »Wir könnten zu den Teichen gehen. Da ist es kühl. Wir müssen uns schließlich mal unterhalten, findest du nicht?«

»Na gut«, knurrte ich charmant, stand auf und ging eilig über die Terrasse auf den großen Garten zu, der ein Stück weiter oben an der Straße liegt. Sollte Nemian zur Abwechslung doch mal mir hinterherlaufen.

Tat er aber natürlich nicht. Deshalb musste ich vortäuschen, einen Stein im Schuh zu haben. Was gar nicht unwahrscheinlich wäre, meine Sohlen sind nämlich ziemlich durchgelaufen.

Er kam ohne Eile angeschlendert und erkundigte sich besorgt: »Ein Stein?«

»Hab ihn schon rausgeschüttelt.«

»Schau doch«, sagte Nemian. »Der Mond.«

Wir schauten. Und da war er. Seit dem Sturm war er nicht mehr so deutlich zu sehen gewesen. Er sah sauber und weiß aus, ein Halbkreis, wie eine Zifferblatthälfte aus Porzellan, nur ohne Ziffern und Zeiger.

»Arme Claidi«, bedauerte mich Nemian. »Bist du sehr

wütend auf mich? Du findest mich sicher ziemlich selbstsüchtig.«

Ich musste mir ins Gedächtnis rufen, dass er zwar ein Prinz ist, mich aber ebenfalls für eine Prinzessin oder zumindest eine Dame hält.

»Das sind wir doch alle«, entgegnete ich deshalb. »Müssen wir auch. Anders kommt man zu nichts.«

»Bei Gott – ein interessanter Standpunkt«, staunte Nemian. »Aber du könntest Recht haben. Dann verzeihst du mir also? Wenn du ohnehin nicht allzu viel von mir erwartet hattest.«

Ich warf ihm einen verstohlenen Blick zu. Ein Prachtkerl.

»Aber ja«, beteuerte ich möglichst glaubwürdig.

Wir betraten den Garten.

Die Teiche waren von Bäumen gesäumt, und der Mond spiegelte sich auf jeder wassergefüllten Mulde wider, an der wir vorübergingen.

Nemian suchte uns einen glatten Felsen in einer Wiese voller weißem Klatschmohn, der in der mondgetränkten Dunkelheit einen gespenstischen Moschusgeruch verströmte.

»Weißt du«, sagte er, »ich hätte nie damit gerechnet, dass der Ballon abgeschossen werden könnte. Die meisten Siedlungen, die ich überflogen habe, waren so primitiv, dass sie dazu gar nicht die nötigen Waffen gehabt hätten. Ich dachte, die höher entwickelten Reiche hätten eigene Ballons und seien vielleicht auch an Reisende gewöhnt. Als sie dann plötzlich mit Kanonen schossen, fürchtete ich schon, es wäre um mich geschehen.« Er sah mit düsterem Blick über den Garten. »Ich war erschüttert. Und dann der Empfang, den mir dein Volk bereitet hat.«

»Du hast aber keinen ...«, ich zögerte, »sonderlich erschütterten Eindruck gemacht.«

»Ach, ich bitte dich, Claidi. Das war doch Theater. Ich habe ihnen den schneidigen Aristokraten vorgespielt, weil ich völlig ratlos war.«

»Deshalb hast du dich vor aller Augen auf den Boden gelegt und bist eingeschlafen.«

Er runzelte die Stirn und sah mich schräg an.

»In Wahrheit bin ich ohnmächtig geworden. Als ich mich auf den Baum rettete, habe ich mir den Kopf an einem Ast angeschlagen. Also habe ich mich dafür entschieden, mich mit vornehmer Eleganz und Stil hinzulegen statt einfach umzufallen. Sehr *nonchalant.* Alles gespielt, wie gesagt.«

Ich war verblüfft. Und fühlte mich ganz komisch. Ich kann es nicht beschreiben. Und ich weiß auch gar nicht, ob ich das überhaupt will. Zugleich war ich voller Bewunderung. Und ich hatte ein schlechtes Gewissen. Ich fragte mich, ob er, als er unterwegs scheinbar einfach eingeschlafen war, auch Schwächeanfälle erlitten hatte. Hatte er mir nicht vertraut, oder war er zu stolz gewesen, es mir zu sagen?

»Wie auch immer«, sagte er. »Jedenfalls verdanke ich dir mein Leben.« (Die Worte, die ich mir so viel früher von ihm gewünscht hätte.) »Ich werde dir das nie vergessen, Claidi. In meiner Stadt bin ich übrigens ziemlich einflussreich. Du wirst dort ganz wunderbare Erfahrungen machen und ein Leben in einem Luxus führen, der alles übertrifft, was du vom Haus gewöhnt bist. Und man wird dich achten und ehren.«

Das alles erschien mir so abwegig, dass ich gar nicht verstand, wovon er sprach. Ich und ein Luxusleben? Aber was kümmerte es mich? Hauptsache, er hörte nicht auf zu sprechen.

Dann erzählte er von seiner Stadt. Ich war beeindruckt. Offenbar ist sie noch viel prächtiger als die Ruinen, die wir gesehen haben. Mitten hindurch fließt ein mächtiger Strom, der eine Meile oder noch breiter ist, sodass man an einigen Stellen nicht zum gegenüberliegenden Ufer sehen kann. Sein Wasser ist glasklar. Die Gebäude ragen so weit in den Himmel hinauf, dass sie mit einer Art mechanischem Käfig ausgestattet sind, den sie Beförderer nennen und der die Leute vom Erdgeschoss bis in die obersten Stockwerke bringt.

Nemian sprach von dem Feuerwerk, das sie abbrennen würden, um seine Rückkehr zu feiern und mich willkommen zu heißen. Ich habe zwar schon von Feuerwerken gehört, aber selbst noch nie eins gesehen. Nemian sagte, sie leuchten in allen Farben des Regenbogens und dazwischen funkeln goldene und silberne Sterne.

Er erzählte, dass die Stadt von vier großen Türmen aus regiert wird. Der mächtigste von ihnen heißt Wolfturm. Und in diesem Turm ist er zur Welt gekommen.

Plötzlich fiel mir wieder ein, was er im Debattiersaal gesagt hatte: dass er in einer Mission unterwegs gewesen sei.

Ich wollte von ihm wissen, in welcher. Nemian lachte. »Ach, das habe ich doch nur behauptet, weil es sich besser anhörte. Eigentlich war es mehr eine Vergnügungsreise.«

Ich fragte ihn, wo die rote Blume herkam, die er Jizania von Tiger geschenkt hatte.

»Die wachsen in meiner Stadt«, antwortete er. »Wir nennen sie die Unsterblichen. Nach dem Pflücken halten sie sich noch monatelang frisch. Auch ohne Wasser. Du siehst ja, Claidi, das Ödland besteht noch nicht einmal hier nur aus Wüste. Und es gibt Orte, wo alles wie … in eurem Garten ist. Nur noch viel besser. Es war doch sicher entsetzlich öde, in diesem Haus eingesperrt zu sein. Du musst dich sehr gelangweilt haben.«

»Unser Leben war nur von langweiligen Gesetzen und Ritualen bestimmt«, murmelte ich.

»Furchtbar, ja. Gesetze dürfen prinzipiell *niemals* langweilig sein«, fügte er merkwürdigerweise hinzu.

Dann beugte er sich vor und küsste mich zart auf die Lippen. Ich war so fassungslos, dass ich beinahe nichts von dem Kuss wahrnahm. Deshalb muss ich ihn mir immer wieder ins Gedächtnis rufen und aufs Neue durchleben – diesen Kuss. Ich versuche, seine folgenschwere Bedeutung zu erspüren.

Komischerweise erinnerte er mich daran, wie ich mich als Kind einmal verbrühte. Einige Sekunden lang spürte ich überhaupt nichts.

Ich warte immer noch darauf, ihn zu spüren. Ich weiß, wenn es so weit ist, wird mich der Kuss wie eine riesige, kraftvolle Welle durchspülen, wie der Schmerz beim Verbrühen damals, nur dass es kein bisschen wehtun wird.

Nachdem er mich geküsst hatte, redeten wir weiter, als wäre nichts gewesen.

Er weiß so vieles. Andererseits weiß ich ja auch gar nichts. Mir platzt fast der Kopf, weil ich jetzt so viele Bilder von anderen Orten des Ödlands in mir trage: Städte, Siedlungen, Gegenden, wo sie in Heißluftballons umherfliegen.

Ein paarmal waren Leute an uns vorübergegangen, ohne dass ich groß auf sie geachtet hätte. Doch dann kamen ein paar Schafe angetrottet und später noch einige

Pärchen, die schüchtern fragten: »Brär'nää-bää?«, was offenbar (laut Nemian) so viel heißt wie: »Stören wir?« Da sie sich durch unsere Gegenwart offenbar gehemmt fühlten und es immerhin *ihr* Garten ist, standen wir auf und gingen zum Gästehaus zurück.

Als ich die Leiter zu meinem schmalen Bett hinaufkletterte (Beförderer gibt es hier nicht), auf dem sich die Wolldecken türmten und das nach Schaf duftete, bibberte ich vor Kälte.

Nachdem ich vergeblich versucht hatte einzuschlafen, setzte ich mich hin und schrieb diesen Eintrag ins Buch, und jetzt glaube ich fast, dass dieser schwache Lichtschein am Fenster bereits die Morgendämmerung ist – kann das sein?

Ich stieg die Leiter hinab und spähte über die Galerie nach unten, wo die ganze Nacht über in einem so genannten *Prääää*, einem dieser berühmten Widderschädel, eine dicke Kerze brennt.

Eine Gruppe von Männern, die meisten von ihnen jung, betrat gerade das Gästehaus. Sie waren sehr fantasievoll gekleidet: Lederhosen, Kittel, Stiefel, Jacken mit vergoldeten Knöpfen und Quasten und wehende Umhänge. Außerdem waren sie schwer mit Messern, Pfeil und Bogen und ein paar Gewehren bewaffnet.

Die Schafler verbeugten sich blökend.

Flackerndes Kerzenlicht zuckte über ihre wilden, gebräunten Gesichter.

Ich fragte mich, ob Nemian sie auch bemerkt hatte und ob sie uns wohl helfen könnten.

Aber ehrlich gesagt sehen die Neuankömmlinge wie die

Schurken aus den Gruselgeschichten aus, die man sich im Haus immer zuraunte. Marodierende Diebesbanden aus dem Ödland. Verbrecher, die das Messer zücken und dich abstechen, bevor du noch »Hallo« sagen kannst.

Ich kletterte leise die Leiter hoch und kuschelte mich zwischen die Decken.

Natürlich haben sie im Haus Lügen über das Ödland erzählt. Das Ödland ist ganz anders als alles, was ich darüber gehört habe – jedenfalls das meiste. Zumindest das meiste von dem, was ich bisher davon gesehen habe.

Irgendwann muss ich wohl eingeschlafen sein, denn ich wurde von tumultartigem Getöse im Untergeschoss geweckt.

Waren es die Banditen? Was trieben sie? Metzelten sie alle nieder, um dann das Gästehaus in Brand zu stecken?

Ich kletterte aus dem Bett und zog mich an. In diesem Moment betrat eine Schaflerin das Zimmer, blökte und reichte mir einen Becher Milch und etwas Brot.

Du kannst dir ja denken, wie gern ich sie gefragt hätte, was da unten vorging, aber ich beherrschte die Blöksprache nun mal nicht. Weil ich immer wieder aufgeregt auf den Boden zeigte und dazu wild mit den Augenbrauen zuckte, schien sie zu glauben, ich vermutete Mäuse im Zimmer. Sie sah eilig unter den Wolldecken nach, und als sie nichts entdeckte, blökte sie beruhigend, lächelte und ließ mich allein.

Aus der Tatsache, dass sie mir lächelnd Frühstück gebracht hatte, schloss ich, dass unten wohl nichts allzu Schreckliches vor sich ging.

Ich frühstückte. Anschließend wusch ich mir mit dem

Rest des Waschwassers vom Vorabend die Haare. Eigentlich nur, um etwas zu tun zu haben. Es war schon ziemlich heiß und mein Haar war nach kurzer Zeit beinahe trocken. Da klopfte es an die Tür.

Es war einer der Männer des Schäfers, der mir ein kleines Holzbrett in die Hand drückte. Ich blökte eine Art Dankeschön und schaute verständnislos drein. Erst als er auf das Brett deutete, sah ich, dass etwas darin eingeritzt war. Die Schafler besitzen kein Papier. Sie schreiben Dinge nieder, indem sie Perlen und andere Dinge in einem bestimmten Muster in das Vlies ihrer Schafe flechten …

Auf dem Stück Holz stand jedenfalls: »Folge ihm. Nimm mit, was du willst. Wir reisen sofort ab.«

Ich schluckte trocken. »Von Nemian?«, fragte ich.

»N'bää miaan'bää«, antwortete der Mann. Oder so. Dazu nickte er heftig.

Ich besaß nicht mehr viel, was ich in mein Bündel packen konnte. Dieses Buch natürlich, den Tintenstift, mit dem ich schreibe, und die Wasserflasche, wenn ich auch bisher keine Gelegenheit gehabt hatte, sie wieder zu füllen. Ein paar andere Kleinigkeiten.

Ich hatte Angst. Ich muss zugeben, dass mich das Ödland immer noch ängstigt. Selbst wenn es hier offenbar von Stämmen und Siedlungen und sogar »hoch entwickelten« Städten nur so wimmelt, liegen dazwischen doch noch all diese Wüsten und verseuchten Gebiete.

Zum Zaudern blieb keine Zeit. Ich stieg hinter dem Schafler die Leiter hinunter.

Aus dem Hauptinnenraum, in dem wir sonst immer gefrühstückt hatten, drang ohrenbetäubender Lärm.

Männer grölten und lachten, jemand sang, und man

hörte, wie klirrend Teller zerbrachen oder zumindest sehr achtlos auf den Tisch geknallt wurden. Durch eine türlose Öffnung in der Wand erhaschte ich einen Blick auf ein braunes Stück Stoff, das mit glitzernden goldenen Fransen gesäumt war.

Wir gingen die Galerie entlang, durch eine Seitentür und dann eine hölzerne Außentreppe hinunter.

Auf dem Lehmboden des kleineren Nebenhofes wartete einer der Streitwagen, vor den vier Widder mit bemalten Hörnern gespannt waren.

Nemian stand neben dem Fahrer im Wagen. Er hob einen Arm und bedeutete mir mit huldvollem Winken, schnell einzusteigen.

»Nemian – ich hatte keine Zeit, die Wass…«

»Klappe, Claidi.«

Sehr charmant.

Na ja. Offenbar war das nicht der richtige Zeitpunkt für einen Schwatz. Da von dem bezaubernden Kavalier des gestrigen Abends nichts mehr zu erkennen war, vermutete ich, dass wir in Gefahr schwebten.

Wir rollten langsam und nahezu geräuschlos aus dem Hof hinaus. Aber ich bezweifle stark, dass die lärmenden Banditen uns überhaupt gehört hätten.

Dafür hörte ich sie umso besser.

Wumm machte es und *schepper* und dann erklang fröhliches Lachen, und jemand, der mehr oder weniger Nemians und meine Sprache sprach, grölte: »Du solltest ihn vorher aber umbringen, Blurn. Schling ihn nicht bei lebendigem Leib runter!«

O… *Gott,* dachte ich.

Als wir zum Hof hinaus waren, knallte die Peitsche, und

die Widder, Wem-Immer sei Dank, jagten auf ihren beschlagenen Hufen voran.

Wir flogen in einem höllischen Tempo die Hauptstraße entlang und rasten kurz darauf durch das Tor hinaus, durch das wir die Stadt am Fuße der fahlen Berge seinerzeit betreten hatten.

Probleme finden dich überall

Ich weiß noch, wie Pattoo immer düster sagte: »Vor Problemen weglaufen hilft nichts, sie finden dich doch überall.«

Ganz mein Eindruck. Obwohl mich das noch nie daran gehindert hat, es wenigstens zu versuchen. Wegzulaufen.

Wie heute Morgen.

Nachdem wir das erste holprige Stück des Berges hinaufgeprescht waren, wurde der Weg zunehmend steiler. Wir mussten das Tempo drosseln.

Aber als wir von hoch oben hinabblickten, schien in der Stadt und am Tor alles ruhig zu sein.

Nemian und der Fahrer blökten ein wenig miteinander, und nach einer Weile fragte Nemian mich: »Du kannst dir denken, weshalb wir abgereist sind?«

»Die Männer, die gestern Nacht angekommen sind, sind wohl gefährlich.«

»Den Schaflern zufolge ist das noch sehr milde ausgedrückt«, entgegnete Nemian. »All diese fahrenden Völker sind wahnsinnig. Ein höllisches Leben.« Er lächelte. »Aber auch verlockend, wie ich zugeben muss. Für sie zählen nur Mut und Können. Ihr Leben ist ein einziges langes Abenteuer. Aber mit einer Menge Dreck verbunden. Keinerlei Komfort. Nettigkeiten können die sich gar nicht leisten.«

Genauso wenig wie du, dachte ich. Dauernde Gefahr bedeutete wohl dauerhaften Verzicht auf gute Umgangsformen. Wie kleinlich, so etwas zu denken.

Es ist nur … na ja, ich habe es so satt, wie ein Putzlumpen behandelt zu werden. Naiv wie ich bin, hatte ich gehofft, das würde sich ändern. Und gestern Abend …

Gestern war gestern.

Die Schafe trabten den nun ebenen Weg entlang, bis er erneut anstieg und unser Wagen ins Schlingern geriet.

Ich hatte keine Lust mehr, Nemian zu erklären, dass ich keine Zeit gehabt hatte, die Wasserflasche zu füllen. Ich hätte ja auch das Waschwasser nehmen können, die Seifenlauge mit den Haaren darin. Hmm.

»Guck nicht so mürrisch, Claidi«, sagte Nemian. »Fandest du es denn so schön dort? Wie seidig dein Haar heute glänzt.«

»Wohin fahren wir denn?«, fragte ich, um Würde bemüht.

»Der Schafler bringt uns zu einem Bergdorf. Wir müssen selbst sehen, wie wir von dort aus weiterkommen. Vielleicht können wir einen Tauschhandel machen, uns einen Wagen oder ein anderes Fahrzeug besorgen.«

Ich weiß, dass man bei so genannten Tauschgeschäften einen Gegenstand hergibt und einen anderen bekommt, obwohl so etwas im Haus nicht üblich war. Man konnte dort auch nichts *kaufen,* aber auch davon hatte ich gehört, und Nemian erwähnte (gestern Abend), dass es in seiner Stadt am breiten Fluss Münzen und Geld gibt.

Die Schafler hatten, glaube ich, nichts als Gegenleistung von uns gewollt. Sie schienen einfach nur hilfsbereit zu sein. Ich hoffte, die Banditen würden sie um ihrer Nettigkeit willen verschonen.

Nach einer Weile waren wir ringsum von Bergen umgeben, die, aus der Nähe betrachtet, gar nicht mehr so hässlich aussahen, wie ich es erwartet hatte. Allerdings wuchs ziemlich wenig auf ihnen. Gelegentlich ein Busch mit weißlichem Flausch und eine Art bleiches Gras. Aus der Nähe sahen sie kuschelig aus wie Kissen.

Nach etwa einer Stunde hielten wir an und die Schafe rupften Gras. Nemian und der Schafler teilten sich ein Bier, aber ich mochte keins.

Ich schaute gerade ins Tal hinunter, als ich es hörte – als wir alle es hörten: ein klapperndes, klackerndes Geräusch, das von der anderen Seite des Hügels zu uns drang.

Auf einmal tauchten auf einem Hang zu unserer Linken, genau dort, wo wir es nicht erwartet hätten, fünf Männer auf. Kaum eine Viertelmeile von uns entfernt.

Mir entfuhr eine besonders unpassende, dämliche Frage: »Was ist *das* denn?«

»Pferde«, antwortete Nemian. »Und das andere, das *auf* den Pferden, das sind die verrückten Messerstecher von vorhin aus der Stadt.«

Ich sah, dass keiner meiner beiden Begleiter Anstalten machte, die Schafe anzutreiben. Dann begriff ich, dass Flucht zwecklos war. Die Banditen hatten uns bereits entdeckt, und in ihren grinsenden Mündern sah ich weiße Zähne blitzen, genauso wie ihre Schnallen und Armreife und Knöpfe und *Messer*. Sie trieben die Pferde mit einem leichten Stoß in die Flanken an, worauf die fremdartigen Tiere auf uns zudonnerten wie eine Gewitterfront oder ein Buschbrand.

(Ich hatte noch nie zuvor Pferde gesehen. Im Haus wurden die Wagen von – genau, von Sklaven gezogen.)

Falls du Pferde kennst, wirst du mir Recht geben, dass sie

eigentlich sehr schön sind – mit ihren langen Hälsen und den fliegenden Mähnen, die im Wind flatterten wie die Haare der Banditen.

Nach kaum zehn Sekunden waren sie auch schon bei uns auf der Hügelkuppe angelangt, rot und braun und mit blitzenden Zähnen und Metall.

»Wir konnten euch doch nicht ziehen lassen«, meinte einer, »ohne wenigstens Hallo zu sagen.«

Sie lachten. Sie hatten einen starken Akzent, der kehlig klang und mir irgendwie zusätzlich Furcht einflößte.

Ihre Nettigkeit verwirrte mich, nicht weil sie unecht war, sondern weil sie es sich, wie Nemian mir erklärt hatte, eigentlich nicht leisten konnten, nett zu sein.

Diesmal sagte Nemian nichts.

Auch der Schafler wirkte nicht sonderlich gesprächig.

Die Pferde glänzten wie gebohnertes Parkett.

Einer der Banditen schwang sich von seinem Pferd und kam auf langen Beinen auf uns zu.

»Nicht aus dieser Gegend?«

Nemian sagte: »Nein.«

»Süden? Peshamba?«

Nemian sagte: »Ja. Wir wollen nach Peshamba.«

Der Bandit lehnte sich kumpelhaft an den Wagen. Und dann zog er aus seinem Hemdkragen einen kleinen Glasgegenstand. Eine Art Anhänger? Er betrachtete ihn schweigend, als wäre er allein. Höchst befremdlich. Einer der anderen Banditen, der im Sattel geblieben war, beugte sich zu ihm hinab, um mehr zu erkennen. Er schrie plötzlich verblüfft auf (ich zuckte zusammen). Dann zog er sein (entsetzliches) Messer heraus, warf es in die Luft und fing es mühelos mit den *Zähnen* auf.

Der Bandit, der an unserem Wagen lehnte, achtete nicht darauf. Er umschloss den Anhänger mit der Faust und steckte ihn wieder weg. Dann sah er mir direkt in die Augen.

Seine eigenen waren dunkel wie sein langes Haar, das ihm bis zur Hüfte reichte. Seine Haut hatte die Farbe von starkem Tee mit einem Schuss Milch darin. Ein Ton, der gut zu dem des Pferdes passte, das er ritt. Verwundert stellte ich fest, wie jung er war. Ich war noch nie jemandem begegnet, der so… ich weiß nicht, wie ich es ausdrücken soll… so *Furcht einflößend* war.

Ich schrumpfte zusammen.

Zu meiner Überraschung wandte er den Blick sofort ab und sprach Nemian an.

»Geld dabei?«

»Geld«, wiederholte Nemian.

»Man braucht es in Peshamba oder jeder anderen größeren Stadt, zu der ihr unterwegs seid«, erklärte der Bandit hilfsbereit.

»Ihr wollt Geld«, schlussfolgerte Nemian. Aus einer seiner vielen Taschen zog er ein flaches Lederetui und bot es dem Banditen an.

Der Bandit nahm es und klappte es auf.

Der Bandit und ich starrten interessiert auf die merkwürdigen, türkisgrünen Blätter, die da zum Vorschein kamen.

Ein Seitenblick aus den dunklen Augen streifte mich. Mir wurde ganz anders und ich rutschte von dem Mann weg.

»Ah«, sagte der Bandit. »Nun, damit kann ich nichts anfangen.« (Es klang, als wären ihm die Blätter nicht gut genug!) »Keine Münzen?«

»Bedaure«, sagte Nemian. Er wirkte nicht besorgt. Lediglich wohlerzogen und redewillig, so als wären diese wahnsinnigen, mörderischen Banditen ganz gewöhnliche Menschen, denen er zufällig bei einem Gartenspaziergang begegnet war.

Einer der anderen Banditen (nicht der mit dem Messer) rief: »Der Tronker soll seinen Mantel ausschütteln. Und der Käfer versteckt doch sicher auch was.«

Tronker? Käfer?

Der an unserem Wagen lehnende Bandit sah flüchtig zu ihm hin. »Ich fürchte, aus denen ist nicht viel rauszuholen«, sagte er mit Bedauern in der Stimme. Oje, der Arme, da hatten wir ihm wohl eine gehörige Enttäuschung bereitet.

»Na, ich weiß nicht, Argul«, rief der andere. »Die Kleine ist doch ein flotter Käfer. (Aha. Der »Käfer« war also ich.)

Die ganzen alten Gräuelgeschichten wirbelten mir durch den Kopf. Grässliche Geschichten, die grundsätzlich mit dem Tod endeten.

Trotzdem warf ich dem Banditen auf dem Pferd einen giftigen Blick zu. Ich hatte solche Angst, dass ich fürchtete, mich übergeben oder weinen zu müssen, aber stattdessen schrie ich ihn an: *»Wenn Sie mich anrühren, beiße ich Ihnen die Nase ab!«*

Erschrockenes Schweigen.

Im nächsten Moment brachen alle gleichzeitig in schallendes Gelächter aus.

Alle. Der an unserem Wagen lehnende Bandit, die anderen vier Schurken und Nemian. *Nemian!*

Selbst der Schafler lächelte – vielleicht in der Annahme, wir hätten uns geeinigt, gute Freunde zu sein.

Ich war empört. Was hatte ich denn gesagt – getan?

Ich ballte die Hände zu Fäusten. Meine Nägel fühlten

sich an wie spitze Krallen. Der Gedanke, den Banditen tatsächlich zu beißen, erfüllte mich mit Abscheu – trotzdem war ich bereit, sofort zuzuschnappen.

Ich hatte Jadeblatt geohrfeigt und war aus dem Haus geflohen, nichts konnte mich aufhalten – jetzt nicht mehr.

Der Bandit, der Argul hieß, trat von unserem Wagen zurück. »Achtung«, warnte er seine Kumpane. »Die meint das ernst.« Er gab Nemian das lederne Etui mit dem Geld zurück. »Wie ich sehe«, sagte Argul, »hast du mit dem Käfer da schon genug am Hals. Vor der kriege ja selbst ich Angst.«

»Ganz recht«, feixten die übrigen Banditen. »Mit der hast du dir was eingebrockt.«

Ihr Anführer drehte sich um, lief so schnell zu seinem Pferd zurück, dass ich halb erwartete, er würde es umrennen, und sprang – *sprang* – seitlich darauf, als wäre es ein niedriger, unbeweglicher Felsbrocken.

Im nächsten Moment saß er rittlings im Sattel. Und das Pferd, das nicht einmal mit der Wimper gezuckt hatte, blickte mit seinen dunkel schimmernden Augen zu mir herunter.

»Macht's gut«, riefen die Banditen fröhlich. »Schönen Tag noch!« Und galoppierten den Hügel hinab.

Wir erreichten das Bergdorf erst am späten Nachmittag.

Nemian erwähnte die Banditen mit keinem Wort. Er hatte alles Nötige bereits gesagt, als er mir erzählte, sie wären wahnsinnig.

Halb erwartete ich, sie wieder zu sehen, weil sie in ihrem Wahnsinn ihre Meinung geändert und beschlossen hätten, uns doch auszurauben, zu Tode zu erschrecken, zu erniedrigen und abzuschlachten. Aber sie blieben verschwunden.

Wir aßen etwas Schafskäse und Kopfsalat und tranken dazu Bier. Ich bekam Schluckauf.

Mir reichte es. Gründlich. Daisy würde sagen, ich hätte eine meiner Launen.

Der Himmel färbte sich tiefgolden, als wir über die x-te Hügelkuppe rumpelten und endlich das Dorf vor uns lag. Kein erhebender Anblick. Dicht gedrängte, schiefe Hütten, eine riesige, formlose Müllhalde, die man schon von weitem riechen konnte. Zwischen den Behausungen schlichen knurrende Hunde herum. Ein paar mürrische Gesichter sahen argwöhnisch zu uns hinauf.

Man stelle sich das komplette Gegenteil der freundlichen Schaflerstadt vor. Als wäre dieses Dorf nur zu dem einzigen Zweck errichtet worden, jeden Besucher abzuschrecken.

Mich schreckte es ab. Während ich diesen letzten Abschnitt schreibe, ist es Nacht, und ich sitze in einer Art stinkendem Schuppen, der von riesigen Ratten bevölkert ist. Die Ratten sind ganz putzig, jedenfalls viel netter anzusehen als die Bergdörfler. Was allerdings kein Kunststück ist.

Schon bei unserer Ankunft haben sie sich abscheulich benommen. Ein paar blieben stehen, um uns in unserem Wagen anzustieren, andere gingen einfach in ihre Hütten. Sie hätten sicher die Türen hinter sich zugeschlagen, wenn sie gekonnt hätten. Aber die sind so vergammelt, dass sie abgefallen wären.

Dann kam ein fetter, gackernder Mann auf uns zu und blökte den Schafler an. Nemian sagte, er habe so gebrochen geblökt, dass der Schafler ihn nur mit Mühe verstanden hätte, und er selbst überhaupt nicht.

Dennoch gab der Schafler – korrekt blökend – an Nemian weiter, wir könnten »unbesorgt« hier bleiben. Und ja, sie würden uns einen Karren mit einem Maultier (was ist das denn?) besorgen – morgen oder übermorgen.

Er sagte, die Leute gehörten zum Stamm der Federer. Heißt das, dass sie Vögel mögen?

Wollten sie Geld? Soweit ich es beurteilen konnte, verneinte der Schafler das. Er sah peinlich berührt aus. Er müsse uns jetzt hier lassen (um in seinen eigenen, so viel schöneren Heimatort zurückzukehren). Nemian sagte nichts dazu. Und ich konnte nichts sagen.

Wir stiegen aus und der Schafler verzog sich mit dem gackernden Fettwanst in eine der Hütten. (Später tauchte er, mit undefinierbaren Säcken beladen, wieder auf, kletterte in seinen Wagen und fuhr davon, ohne uns zum Abschied zu winken.) Nemian und ich wurden von zwei widerwärtig aussehenden Frauen in einen der Schuppen gescheucht. In diesen hier.

Ich dachte, Nemian müsste sich übergeben, als wir reinkamen. Sein Gesicht wurde weiß und seine Augen auch und seine Nasenflügel *kräuselten* sich.

»Oje, Claidi. Was soll ich dazu sagen? Was musst du wohl von mir denken?«

»Du bist ja nicht schuld«, sagte ich. Mit zusammengebissenen Zähnen, wie ich zugebe. Er war ja wirklich nicht schuld. Aber irgendwie eben doch. Wenn er nicht seine »Vergnügungsreise« gemacht hätte, wären wir beide jetzt gar nicht hier. Ich war richtig wütend auf ihn. Aber so ist es, wenn man liebt, das weiß ich aus den Liedern im Haus. Im einen Moment himmelst du dein Gegenüber an, im nächsten könntest du es erwürgen.

Aber er blieb sowieso nicht lange da. Er ließ mich auf dem müffelnden Stroh sitzen und machte sich auf die Suche nach jemandem, der irgendetwas für ihn erledigen sollte. Er kam nicht zurück.

Zunächst machte ich mir keine Sorgen. Dann doch. Als ich zur Schuppentür ging, sah ich ihn im Gespräch mit dem gackernden Fetten. (Nemian scheint auch die hiesige Sprache zu beherrschen.) Sie tranken irgendetwas und schienen sich aufs Beste zu amüsieren. Typisch.

Ich hockte mich auf den steinigen Boden vor dem Schuppen.

Bald schlich ein Hund auf mich zu und bleckte grundlos seine gelben Zähne. Leichtsinnigerweise blaffte ich ihn an: »Hör auf damit, du blödes Vieh.« Ich war überzeugt, er würde mir an die Kehle springen. Doch er winselte nur und machte sich mit eingezogenem Schwanz davon.

Nemian und der GF – ihr Häuptling? – erhoben sich, offenbar um sich auf eine Besichtigungstour durchs Dorf zu begeben. (»Den Misthaufen gab es schon, als meine Großmutter ein kleines Kind war. Und da oben das Loch stammt von der Lieblingstaube meines Urgroßvaters. Sie hatte zu viel gefressen und plumpste durchs Dach.«)

Gegen Abend kam eine Frau und knallte eine Schüssel vor mich hin.

»Äh … entschuldigen Sie, aber was ist das?«, erkundigte ich mich ängstlich.

»Zermonder Papp«, sagte sie. Glaube ich.

Ich probierte den Zermonder Papp. Er schmeckte … *pervers.* Damit war das Abendessen für Claidi gegessen.

Habe in dem Schuppen hier keine Lampe gefunden, obwohl es aus den anderen Hütten später herüberleuchtete.

Weil der Mond sehr hell scheint, kann ich trotzdem schreiben.

Die Leute vom Federerstamm geben ekelhafte Geräusche von sich. Essen sie zu Abend oder unterhalten sie sich oder was? Mir wird übel.

(Vor etwa einer Stunde habe ich Nemian noch einmal gesehen. Er schlenderte in Begleitung des GF vorbei und winkte mir zu. Er wirkte gut gelaunt und schien von den Federern sehr angetan und hatte sogar einen kleinen, fröhlichen Trupp von ihnen im Schlepptau. War er betrunken oder wollte er einfach freundlich sein? Oder ist er vielleicht… ein feiger Duckmäuser? Als die Banditen uns vorhin bedrängten, hatte ich keine einzige Sekunde das Gefühl, Nemian könnte mich retten, wie die Helden in den alten Geschichten die Heldinnen retten – aber bin ich denn eine Heldin? Wohl kaum.)

Habe mich wieder in den Schuppen zurückgezogen. Wie es aussieht, kann ich mich auch gleich schlafen legen. Grauslicher Tag. Ja, klar, ich sollte mich glücklich schätzen, solch ein großes Abenteuer erleben zu dürfen. Aber ich kann dir versichern, der Gestank hier würde auch dem kühnsten Abenteurer den Rest geben.

Habe den Eindruck, draußen wird es heller und lauter. Der Mond? Gibt der Mond Geräusche von sich? Wer weiß.

Ich muss immer wieder an den Glasanhänger von dem Banditen denken, der an unserem Wagen gelehnt hat.

Ich finde es unverschämt, dass sie mir gegenüber so beleidigend wurden (Käfer! Genug am Hals!). Dabei wollte ich mich nur verteidigen. Wenn es schon kein anderer tut.

Höhenflug

Weil die Decke so hoch ist, könnte ich glatt vergessen, dass ich hier in einem Wagen sitze. Das Rumpeln erinnert mich aber schnell wieder daran.

Es ist schwierig, hier drinnen zu schreiben. Ich glaube, ich lasse es lieber, bis wir anhalten.

Ich muss nur schnell die Wagendecke beschreiben. Tiefes Dunkelrot und Lila mit wilden Grüntönen. Die Bilder stellen hauptsächlich Pferde und Hunde dar. Und eine Sonne aus purem Gold. Über die Jahre verblasst.

Sie besitzen diese Wagen schon seit Urzeiten.

Holterdipolter.

Ich warte lieber.

Als ich im Schuppen der Federer eingeschlafen war, gerade lange genug, um nach dem Erwachen verwirrt hochzuschrecken, doch nicht lange genug, um ausgeruht zu sein, begann das Gedröhne und Gejodel, und jemand rüttelte mich. (Ich glaube, ich habe bereits erwähnt, wie gemein es ist, auf diese Art geweckt zu werden.)

Als ich blitzartig hochfuhr, erblickte ich um mich herum lauter Federer, die ganz verändert waren. Sie lächelten nämlich, nickten mir zu, und einer wedelte mir mit einem fedrigen Ding vor der Nase herum, das wie ein gigantischer Flügel aussah.

Kein Wunder, dass ich sie entgeistert anstarrte.

Da drängte sich Nemian durchs Gewühl.

»Keine Angst, Claidi. Es ist ein Geschenk.«

»Was? Wovon redest du?«

»Von dem Kleid.«

»Das soll ein Kleid sein?«

»Es ist aus einem Wollstoff, auf den sie Federn genäht haben. Ich fürchte, darin wird einem ziemlich heiß. Aber sie scheinen es dir schenken zu wollen. Heute Abend findet offenbar ein Fest statt.«

»Oh.«

»Wir sollen mit ihnen zu irgendeinem Schrein in den Bergen kommen.«

»Was ist ein *Schrein*?«

»Jetzt stell nicht so viele Fragen. Die Frauen kleiden dich an und dann gehen wir einfach mit ihnen. Wir sind auf sie angewiesen und sollten ihnen diesen Gefallen tun. Sei so gut, ja?«

Diese Erklärung verwirrte mich nur noch mehr.

Gleich darauf verschwanden er und die Männer und ließen mich mit vier oder fünf dicken Frauen allein, die fest entschlossen schienen, mich in das Federkleid zu stecken. Ich bin als Kind häufig mit Gewalt angezogen worden, deshalb wusste ich, dass es klüger war, mich nicht zu wehren.

Mein Gott (verwende ich das korrekt? Ich glaube schon – es scheint sich um einen Ausruf der Angst oder Verärgerung zu handeln) – dieses Kleid! Ich muss ausgesehen haben wie eine riesige weiße Henne. Außerdem schwitzte ich darin wirklich und der Stoff kratzte.

Nachdem mich die Frauen angezogen hatten, führten

sie mich zur Tür. Ich griff rasch nach meinem Bündel, als ich sah, wie sich eine von ihnen daran zu schaffen machte.

Wenn sie nun hätten lesen können? Und das hier gelesen hätten? (Unwahrscheinlich. Sie konnten ja kaum sprechen.)

Draußen hatte sich die gesamte Dorfbevölkerung mit Fackeln eingefunden.

Sie klatschten und begannen zu singen. Ich vermute, dass es Gesang sein sollte.

Ehrlich gesagt war ich mir nicht sicher, ob sie mir in ausgelassener Feierstimmung so gut gefielen. Mit der mürrischen Art von vorher war ich besser zurechtgekommen. Jetzt zupften sie mir die ganze Zeit an den Armen, am Rücken und am Haar, und das fand ich schrecklich.

Ich brüllte nach Nemian, doch der winkte mir nur zu. Er stand neben dem GF an der Spitze der Prozession. Prozession sage ich deshalb, weil es sich als eine entpuppte.

Wir zogen in flottem Tempo zum Dorf hinaus und folgten einem steinigen Pfad in die Berge hoch.

Ein paar Hunde flitzten hinter uns her und wurden von den fröhlichen Dorfbewohnern mit Steinen beworfen, bis sie umkehrten. Reizendes Völkchen. Kein Wunder, dass ihre Hunde so bösartig und verschreckt sind.

Diese Berge sind fremdartig. Wobei mir natürlich das gesamte Ödland fremdartig vorkommt. Aber jeder Teil ist auf seine ganz eigene Art seltsam. Jede Gegend hat ihre Eigenart.

Die Berge wirken auf mich, als habe einmal etwas Schweres, Drückendes auf ihnen gelastet, das vom Wind fortgeweht wurde. Im Licht des Mondes und der Fackeln sind sie von einer merkwürdigen Schönheit. Wo auf den Abhängen dichtes Gras wächst, wirken sie wie mit Samt überzogen, dazwischen ragen immer wieder nackte Felsen hervor, rau und zerklüftet. Es gibt auch Stellen, die wie abgewetzt aussehen, hauchdünn, als könnte man durch sie hindurchsehen, mitten hinein in das Dunkel.

Immer weiter nach oben ging unser Weg.

Der gackernde Fettsack, der Stammesführer, musste immer wieder eine Verschnaufpause einlegen, sodass wir alle in den Genuss einer Rast kamen. Die Dörfler ließen einen fauligen Trank herumgehen. Als ich den Kopf schüttelte, drängten sie mich glücklicherweise nicht, ihn zu probieren.

Womöglich war dieser Gedanke etwas weit hergeholt – aber ich dachte daran, wie ich im Haus all die Treppen zu dem hohen Turm hinaufgestiegen war. Ich hoffte, die Aussicht, die uns an unserem Ziel – wo auch immer das war – erwartete, würde diese Kletterei wert sein.

Das war sie.

Unvermittelt standen wir auf einem breiten Felsplateau. Alle verfielen in Freudengeheul und stampften und klatschten und »sangen« wieder, dazu machte der Trank erneut die Runde, und ich dachte, wenn sie ihn noch ein bisschen länger unter meiner Nase weiterreichen und mich anatmen, nachdem sie davon getrunken haben, kann es durchaus passieren, dass ich ihnen vor die Füße kotze, und das geschähe ihnen ganz recht.

Doch dann zogen sie sich zurück und ich schaute nach oben.

Über uns wölbte sich ein gigantischer Himmel, der weiteste Himmel, den ich je gesehen habe. Er war unglaublich blau, mit dünnen Wolkenfetzen gesprenkelt, vor allem aber mit Unmengen von diamantfunkelnden Sternen übersät. Mittendrin leuchtete weiß glühend der Mond im Zenit, eingefasst von einem rauchigen, aquamarinblauen Hof.

Mir schwindelte und ich sah wieder nach unten. Gipfel waren nicht mehr zu sehen, und vor mir dehnte sich nichts als das mondgebleichte Felsplateau aus, das in der Luft zu hängen schien.

Da geht es bestimmt tief hinunter, dachte ich.

Und so war es.

Zur einen Seite hin klafften ein paar Höhlen, in die sich die Federer jetzt laut grölend hineindrängten.

Du kannst dir vorstellen, dass ich wenig Lust verspürte, ihnen zu folgen – wozu mich aber auch niemand aufforderte.

Um mich von dem kratzigen Federkleid abzulenken, schaute ich wieder zu den Sternen hinauf.

Ich hatte das Gefühl, aus mir heraus- und zu ihnen hinauffliegen zu können, und ich dachte, dass mich dort oben, getragen von den Winden der Nacht, Abenteuer erwarteten, die alles hier unten Mögliche in den Schatten stellten.

Als ich diesmal den Blick wieder senkte, stand Nemian neben mir und sah mich an: »Was für einen anmutigen Hals du hast«, sagte er.

Die sternglitzernden Abenteuer verblassten. Ich war glücklich für das, was ich hier unten erlebte.

»Vielen Dank.«

»Die Sterne sind wunderschön, nicht wahr?«, sagte er. Und dann: »Aber deine liebste Tageszeit ist wahrscheinlich die Abenddämmerung.« Er zögerte und fügte dann hinzu: »Wegen deiner Mutter.«

Aus der Richtung der Höhlen und vom Hang unten

drang infernalischer Lärm zu uns. Ich hörte etwas, das nach einem (großen) Tier klang. Was hier draußen wohl für Tiere hausten? Doch all das spielte plötzlich keine Rolle mehr.

»Meine Mutter?«

»Ja«, sagte er. »Wegen ihres Namens. Abendröte.«

Ich erstarrte. »Das… wusste ich nicht.«

Er sagte: »Ach, wirklich nicht? Ich habe ja gehört, dass du sie verloren hast, als du noch sehr klein warst, aber trotzdem…«

Ich muss mir schnell eine Lüge einfallen lassen, dachte ich. Ich bin eine Prinzessin des Hauses. Selbstverständlich weiß ich, wie meine Mutter hieß. Andererseits, warum lügen?

Ich sagte: »Ihren Namen hat nie jemand erwähnt. Von wem kennst *du* ihn denn?«

»Von Prinzessin Jizania.«

Und warum hatte sie ihn mir nicht gesagt? Hatte sie es vergessen?

Demütig und wie betäubt vor lauter *Gefühl,* sagte ich: »Das ist ein schöner Name.«

(Nemian runzelte die Stirn, als wolle er mich etwas fragen. Ich schlang die Arme um meinen Oberkörper.)

In diesem Augenblick strömten die Federer aus den Höhlen, Fackeln wurden geschwenkt und sprühten Licht in die Dunkelheit.

Die Federer zogen absonderliche Apparaturen hinter sich her. Ich sah Räder und… Flügel. Während sich die Menge um uns scharte, sagte Nemian: »Eine Frage, Claidi. Wieso hast du…?« Aber da wurden wir auch schon, eingekeilt in die Meute, auf den Felsvorsprung zugeschoben.

»Frag einfach!«, rief ich.

»Schon gut«, schrie er zurück. »Das muss warten. Sie wollen erst mal ihr Ritual hinter sich bringen. Der Häuptling hat mir davon erzählt. Sie fliegen.«

»Ah, verstehe.«

Gar nichts verstand ich. Außerdem erschien es mir auch völlig belanglos, nachdem ich den Himmel gesehen und den abendlichten Namen meiner Mutter erfahren hatte.

Als die Federer stehen blieben, schaute ich ohne besonderes Interesse zu, wie etwa sechs von ihnen in die geflügelten und mit Rädern versehenen Fahrzeuge stiegen und festgeschnallt wurden.

Ich erkannte eine Art Sattel und Pedale, mit denen die Räder angetrieben wurden. Sie banden die Arme der Insassen an die Flügel, die vermutlich aus Holzgerüsten bestanden und wie mein Kleid mit Vogelfedern benäht waren. Absurd sahen die Dinger aus, einfach absurd.

Die Menge, sturzbesoffen und außer Rand und Band, brüllte immer wieder ein und denselben Satz, und die Männer in ihren Flugkisten hoben und senkten dazu knarzend die Flügel.

»Was rufen sie eigentlich?«, erkundigte ich mich bei Nemian, obwohl es mir herzlich egal war.

»Sie fahren jetzt gleich flügelschlagend über diese Klippe da.«

»Oh. Das klingt ziemlich dumm.«

»Ziemlich, ja. Es ist ein Festakt zu Ehren ihres Gottes.«

»Du meinst, zu Ehren Gottes?«

»Nein, nicht direkt.«

»Wenn sie … über die Klippe fahren … ist das nicht gefährlich?«

»Sehr sogar. Weniger der Flug als der Aufprall. Die meisten brechen sich dabei einen Arm oder ein Bein. Das ist es auch, was sie da brüllen. *Hals- und Beinbruch!* Das bedeutet so viel wie: Viel Glück.«

Meine Kinnlade, die mittlerweile darin geübt ist, fiel reflexartig nach unten.

Die Pedalisten bretterten bereits im Höllentempo über das Plateau und schlugen dabei eifrig mit ihren Flügeln.

Sie erreichten den Rand, wo der weiße Felsvorsprung auf den diamantenen Nachthimmel traf – das Nichts –, und *schossen* darüber hinweg.

Jedermann, einschließlich meiner selbst und Nemian, stürmte los, um in den Abgrund zu spähen.

Da stürzten sie, tiefer und immer tiefer. Wild um sich schlagend, sich flatternd in der Luft drehend, lächerlich und lustig und sehr beängstigend.

Und einer nach dem anderen kam mit einem dumpfen Aufprall und einem Schrei in der Tiefe auf. Wolken, die wie Dampfschwaden aussahen, wallten in die Höhe.

Die Federer jubelten. Der Anblick war so Furcht einflößend, dass ich nicht wegschauen konnte.

Doch dann kletterten die Männer einer nach dem anderen aus den Trümmern ihrer völlig zerstörten Flugmaschinen.

»Offenbar nur zwei gebrochene Arme«, informierte mich Nemian, nachdem er sich bei dem rülpsend und glucksend neben uns stehenden GF erkundigt hatte. »Sie bauen ein Jahr lang an den Kisten und zerschmettern sie in knapp einer Minute. Aber wie du siehst, Claidi, landen sie da unten in einer Sandgrube. Das – und die Flügel – dämpft den Sturz etwas.«

Ich dachte noch über eine schlagfertige oder nur dämliche Antwort nach, als ich feststellte, dass mich die Federer schon wieder begrapschten. Einige hatten mich an den Armen gepackt, und jetzt zogen und zerrten sie so an mir, dass ich den Halt verlor.

Ich schlug um mich, aber es half nichts.

»Nemian – sag ihnen, sie sollen aufhören!«

Nemian blickte verwundert drein. Er sagte etwas in ihrer hässlichen Sprache und drehte sich dann um und sprach den GF direkt an.

Doch der gackerte nur unverständlich, schlug Nemian auf den Rücken und bot ihm etwas zu trinken an.

Als ich Nemians Gesichtsausdruck sah, wurde mir mit einem Mal klar, was sie vorhatten.

Dachten sie, es würde nicht wehtun, ich würde mir höchstens *Hals und Bein brechen*? Ich weiß es nicht. Vielleicht war ich auch einfach das nächstbeste Opfer, das gerade zur Hand war, eine verirrte Reisende, die passenderweise am Abend des Festtags bei ihnen aufgetaucht war. Keine Ahnung.

Gleich welche Beweggründe sie hatten – da stand ich jedenfalls, flügellos in meinem Federkleid, kurz davor, von ihnen über die Klippe gestoßen zu werden.

Ich schrie und schlug um mich. Ich glaube, es gelang mir sogar, einem von ihnen den Fuß in den Magen zu rammen. Viel brachte das nicht. Sie ließen nicht von mir ab.

Auch Nemian hatten inzwischen ein paar Federer gepackt und niedergerungen. Ich konnte ihn inmitten ihrer dicken, stampfenden und leider ungebrochenen Beine nicht einmal mehr sehen.

Mein Beutel – mit dem Buch – fiel zu Boden. Ich verlor ihn aus den Augen.

Ich kreischte und heulte. (Was du sicher verstehen kannst.)

Und dann, im größten Lärm, auf dem Höhepunkt der Panik, zerriss eine dunkle Explosion die Luft, und plötzlich flog ich – nicht von der Klippe hinab, sondern durch die Luft –, kam auf dem felsigen Boden auf, wurde erneut hochgezogen und landete auf etwas, das härter und zugleich weicher …

Unerklärlich. Ich strampelte wieder, bis plötzlich jemand meinen Fuß festhielt.

»Obacht, du Morboff! Schlag mir bloß nicht mein okkiges Auge aus!«

Als würde ich aus Wassertiefen an die Oberfläche schießen, tauchte ich aus dem Dunkel auf und fauchte in ein mir unbekanntes Gesicht. Doch es war nicht das Gesicht eines Federers. Der Mann war schwarz wie Ebenholz und lachte, während er zugleich versuchte, mich davon abzuhalten, ihm das linke Auge auszukratzen.

»Ganz ruhig, Chura! Ich will dich doch *retten.*«

Er hatte langes, zu straffen, dünnen Zöpfen geflochtenes Haar. Es werden um die neunzig Zöpfe gewesen sein. Wunderschön. Aber das war mir egal. Ich versuchte, sie ihm auszureißen. Bis er meine Hände festhielt. Er hob mich hoch, rannte los und keuchte: »Keine Angst, Chura, dir passiert nichts. Wir laufen den Berg hinunter, nicht auf den Abgrund zu.«

Das stimmte.

»Ich heiße gar nicht Chura.«

Das schien ihn nicht zu beeindrucken.

»Stimmt«, sagte er. »Die Schafler nannten dich Clääädibää.«

»*Claidi.*«

Er lachte wieder. »Na gut. Claidi. Du hast keine Ahnung, was? *Chura* heißt doch nur ›Liebchen‹.«

Wo wir stehen blieben? An einem Hang.

Oben loderte eine Fackel auf, Geheul, Geschrei, das Klirren von Metall, ein dumpfer Schlag, ein Schuss aus einem Gewehr.

»Nemian …«, rief ich. »Mein Buch …!«

»Dein Buch ist hier, Claidi«, sagte dieses Wunder von einem Mann, den ich zu entstellen versucht hatte. »Nemian? Heißt er so? Dem ist nichts passiert.«

Er gab mir das Buch. Ohne den Beutel. Der war weg. Egal. Ich drückte das Buch an mich und schluchzte. Entschuldige, aber es ließ sich nicht vermeiden. Nur ein oder zwei Schluchzer.

Mein Retter tätschelte mich freundlich. »Ist ja alles gut.«

Offenbar war tatsächlich alles gut.

»Die wollten mich über die Klippe werfen«, erinnerte ich ihn unnötigerweise.

Er sagte nur: »Hier, trink.« Ich schob den Becher weg, aber er hielt ihn mir erneut vor die Nase, und es war auch nur absolut köstliches Wasser darin. Während ich noch trank, fügte er hinzu: »Wir mussten abwarten, verstehst du? Um sicherzugehen, dass wir uns nicht irrten. Deshalb sind wir hinter euch hergeritten und in der Nähe des Federerdorfes geblieben. Argul sagte, wir sollten warten, bis sie – also, die Federer – betrunken sind, denn dann ließen sie sich leichter überwältigen – wo sie doch in der Überzahl waren. Er wollte dich rausholen, wurde aber aufgehalten – von ein paar Kerlen mit Messern. So hatte ich das Vergnügen, dich zu retten. Ich heiße übrigens Blurn.«

Halt mich ruhig für dämlich, aber mir fielen sofort die Rufe ein, die ich aus dem Gasthaus der Schafler gehört hatte: *Du solltest ihn vorher aber umbringen, Blurn. Schling ihn nicht bei lebendigem Leib runter!*

Ich sprach ihn nicht darauf an. Ein Gebot der Höflichkeit – schließlich hatte er mich gerettet.

Jetzt sah ich die Männer den Hang herunterkommen. Allesamt Banditen.

Oje.

Argul stand direkt neben einer der vom Werft-Claidi-über-die-Klippen-Fest übrig gebliebenen Fackeln, die sie in den Boden gerammt hatten.

Er starrte mich mit seinen dunklen Augen an, die noch viel dunkler sind als die Nacht. Und nicht sonderlich freundlich. (Blurn hatte mir seinen Namen gesagt, den ich, glaube ich, schon kannte, und dass er ihr Anführer ist.)

»Danke«, sagte ich zu Argul. Und weil das ziemlich dürftig war, fügte ich hinzu: »Ich verdanke Ihnen mein Leben.« Genau was Nemian zu mir hätte sagen müssen.

Doch der lag ein Stück weiter weg reichlich zerrupft in einem Planwagen.

Argul nickte ungerührt.

»Keine Ursache. Es hat uns ein paar Umstände bereitet, aber ich bin mir sicher, dass ihr euch bei uns erkenntlich zeigen könnt.«

Wie denn? Ich funkelte ihn grimmig an. »Helfen Sie etwa nur, wenn Sie eine Belohnung einsacken können?«

Ein paar von ihnen lachten. Nur wegen meiner Frechheit, wie ich sofort begriff.

Argul sah sich um und sie verstummten.

Er wandte sich wieder mir zu.

»Nein, du kleine Nervensäge, bestimmt nicht. Normalerweise mache ich mir erst gar nicht die Mühe.«

Ich hatte vor ihm Angst gehabt, aber haarscharf dem Tod durch den Sturz von der Klippe entronnen zu sein, erfüllte mich mit Mut. Jedenfalls für den Augenblick.

»Da kann ich ja froh sein«, sagte ich sarkastisch.

»Mal sehen, wie lange die Freude anhält«, erwiderte Argul.

Er war der mächtige Anführer der Banditenbande *(Banditen!)*. Er hatte sich lässig an den Streitwagen der Schafler gelehnt, auf den Glasanhänger geschaut, sich über uns lustig gemacht und uns gesagt, wir seien es nicht wert, von ihm ausgeraubt zu werden. Und die ganze Zeit hatte er abgewartet, ob ich wirklich, wie ihm wohl die Schafler verraten hatten, das auserwählte Opfer der Federer war. Er hatte abgewartet, war uns nachgeritten und hatte uns beobachtet, um zu entscheiden, ob er sich tatsächlich die Mühe machen musste, mich zu retten.

Ich war wütend und sah in meinem Federkleid bestimmt selten dämlich aus. Ich fühlte mich allein. Aber vermutlich ist das letzten Endes jeder.

Unterwegs mit den Banditen

Bis zum Morgen warteten wir in den Bergen. Die fünf Banditen hatten dort ein Lager aufgeschlagen. Sie waren vorausgeritten. Der Rest der Bande musste noch nachkommen.

Die ganze Nacht über kamen sie, auf Pferden, mit Planwagen und Hunden. Letztere waren wohlerzogen, hellwach, ruhig und hatten ein glänzendes Fell.

In der Mitte des anwachsenden Lagers loderte ein großes Holzfeuer. Die Banditen saßen im Kreis darum herum. Im Gegensatz zu ihren Hunden machten sie jede Menge Lärm, genau wie ich es in Erinnerung hatte.

Die Federer waren geflohen. Wenn auch vermutlich nicht alle, falls ich die Kampfgeräusche richtig gedeutet hatte.

Blurn teilte mir ganz sachlich mit, die Schafler hätten uns – mich – an die Federer verkauft. Ich war gegen etwas anderes *eingetauscht* worden. Schlimmer noch: Als wir ihnen begegneten, waren sie offenbar gerade auf der Jagd nach einem Mädchenopfer für die Federer gewesen. Kein Wunder, dass sie Nemian und mich so bereitwillig in ihre Stadt mitgenommen hatten. (Ich dachte daran, wie sie uns empfangen hatten – mit Trommeln, Pfeifen und Mohnblumen.) Schrecklich. Dabei hatte ich die Schafler richtig gern gemocht. Sie wirkten so harmlos – und nett.

Andererseits hatte ich vor den Banditen Angst gehabt und ausgerechnet sie hatten mich gerettet.

Zweifellos haben sie ihre eigenen (verbrecherischen) Beweggründe. Ich muss auf der Hut sein. Ich habe am eigenen Leib erfahren müssen, dass man hier draußen niemandem trauen kann. Man lernt immer durch eigene schmerzliche Erfahrungen. Geht es überhaupt anders?

Abends machte ich mich auf die Suche nach Nemian. Eine der Banditinnen hatte mir Mädchenbanditenkleidung geschenkt – Hosen, eine lockere Bluse und sogar ein paar Armreifen und Ohrringe, an denen *goldene Münzen* hängen! Ich war sehr gerührt, aber da hier alle Frauen so aussehen, glaube ich, es war ganz selbstverständlich für sie, mich nicht nur mit Kleidung, sondern auch mit Schmuck zu versorgen.

Nemian hockte auf einem Berg von Teppichen in einem Wagen. Er schien mich nicht zu erkennen, denn als er kurz aufblickte, sagte er: »Wenn es sich einrichten lässt, hätte ich gern noch etwas Bier.«

»Noch mehr Bier! Du wirst noch platzen«, schimpfte ich.

Er warf mir diesen … *Blick* zu. Lächelte.

»Claidi! An deinem sanften Wesen würde ich dich jederzeit erkennen.«

Er trug einen Rippenverband und einer seiner Wangenknochen war blauviolett. (Besonders hart im Nehmen scheint er nicht gerade zu sein. Nein, das ist ungerecht. Er hat versucht, sie daran zu hindern, mich von der Klippe zu werfen. Dass es ihm nicht gelang, ist nicht seine Schuld.)

In diesem Moment brachte ein Mädchen ihm schon von selbst den erwünschten Biernachschub. Er versprühte ihr gegenüber so viel Charme, dass ich eifersüchtig aus dem Wagen stieg. (Er schien vergessen zu haben, dass er mich fragen wollte, wieso ich den Namen meiner Mutter nicht kenne.)

Anscheinend bin ich launisch und eifersüchtig. Ziemlich unangenehme Charakterzüge. Das habe ich bisher nicht gewusst. Andererseits war ich ja auch noch nie verliebt. Bin ich es denn überhaupt? Verliebt? Ich weiß nicht, was ich bin. Oder wer.

Argul, der Anführer, ist in einem Zelt verschwunden. Blurn, der sein Stellvertreter ist, folgte bald nach.

Ich habe auch den Banditen kennen gelernt, der so überrascht aufgeschrien und das Messer zwischen den Zähnen aufgefangen hatte. Er heißt Mehmed. Jedes Mal wenn er mich sieht, lacht er.

Ehrlich gesagt weiß ich nicht, ob ich so froh sein soll, hier zu sein.

Irgendwann bin ich in den Planwagen geklettert, den mir eine andere Banditin zum Schlafen angeboten hatte, und als ich aufwachte, waren wir bereits unterwegs. Ich war noch immer allein. Eigentlich hatte ich damit gerechnet, den Wagen mit jemandem teilen zu müssen.

Als ich hinausschaute, sah ich, dass wir die Berge gerade hinter uns ließen und auf eine weitere staubige Wüste zusteuerten. Sie sah sehr trostlos aus. Ich versuchte, ein wenig zu schreiben, gab es aber bald auf, weil ich so durchgeschüttelt wurde.

Stattdessen bewunderte ich die Malereien an der ledernen Wagendecke, und mir fiel ein, dass Blurn mir erzählt hatte, dass die Wagen sehr alt, aber gut erhalten seien, weil sie ständig gewartet würden. Sie sind im Familienbesitz und werden von Generation zu Generation weitervererbt. Mit den Pferden und Hunden ist es fast dasselbe. Die jetzigen stammen von Tieren ab, die diese Leute schon vor Jahrhunderten besaßen. Blurn sagte, das Wort *Hulta* bedeute in der Sprache der Banditen zugleich *Lager* und *Familie.* Wer im Banditenlager lebt, gehört automatisch zur Familie. Aber es ist eine Familie, die immer auf Achse ist.

Ich bin etwas beleidigt, weil ich das unbestimmte Gefühl habe, dass man sich einen Scherz mit mir erlaubt. Ich habe nämlich herausgefunden, dass der Wagen, in dem ich reise, Argul gehört.

Gut, es waren Truhen darin, Teppiche, Hocker und Gläser. Ich fand sogar ein paar Bücher – ja, ich habe herumgeschnüffelt, aber nur ein bisschen –, die allerdings bis auf zwei, in mir fremden Sprachen geschrieben waren. Außerdem lagen Messer, Hemden, Stiefel und anderes Zeug herum. Heute Morgen wollte ich mit der Banditin, die mir das Essen brachte, etwas Konversation betreiben und fragte: »Wo sind eigentlich die Leute, die sonst in diesem Wagen wohnen?«

Sie antwortete: »Das ist Arguls Wagen.«

Zwar fügte sie hinzu, dass er tagsüber auf seinem Pferd reitet und nachts lieber im Zelt schläft, den Wagen also nur hin und wieder benutzt, trotzdem war es mir riesig peinlich, und ich fühlte mich von ihm hinters Licht geführt. Als hätte er mich dadurch zu seinem Eigentum erklärt. Obwohl ich mir nicht vorstellen kann, was er sich von mir erwartet. Hält er mich etwa für wertvoll? Das muss es sein. Wahrscheinlich weiß er von Nemian, dass ich eine Prinzessin des Hauses bin. Ich bin also nach wie vor in Gefahr.

Natürlich bin ich sofort ausgezogen.

Nemian hat sich inzwischen auch ein Pferd geben lassen, reitet elegant neben den Banditen her und schwatzt mit ihnen wie mit alten Freunden. Neue Bekanntschaften zu machen, scheint seine Lieblingsbeschäftigung zu sein. Ist das nun liebenswert oder oberflächlich? Hat er das Interesse an mir verloren, weil ich nicht mehr *neu* bin? Bestimmt.

Blurn hat mir ein Maultier zum Reiten angeboten.

Erst nachdem es mir gelungen war, das Maultier zu besteigen – wobei ich um ein Haar auf jeder Seite zweimal runtergefallen wäre –, dachte ich daran, ihn zu fragen: »Ist das etwa *Arguls* Maultier?«

»Nee.« Blurn schüttelte den Kopf. »Von meiner Tante.«

»Heißt das, deine Tante muss …«

»Die hat noch genug andere«, sagte Blurn, als ginge es um ein Paar Pantoffeln.

Das Maultier ist ein einziger Reinfall.

Es hat zwar ein hübsches Gesicht mit herrlich langen Wimpern, aber dafür schlägt es die ganze Zeit aus und zappelt herum. Nemian behauptet, Maultiere würden nicht zappeln. Tun sie aber doch. Ich habe es mit Füttern und Striegeln probiert, um ihm zu zeigen, wie nett ich bin und dass es mich ruhig mögen kann, aber das scheint ihm egal zu sein. Es tritt mich trotzdem, sobald ich ihm den Rücken zukehre, und zappelt herum, wenn ich mich anmutig in den Sattel schwingen will.

Muss ich erwähnen, wie unglaublich komisch vorbeikommende Banditen und Banditinnen das finden?

»Clääädi-bäää übt wieder fliegen«, rufen sie, wenn ich mal wieder im Sand lande. Das ist auch so was, das mich stört. Sie benutzen die ganze Zeit die Schaflervariante meines Namens. Nach allem, was die Schafler mir angetan haben, finde ich das besonders ärgerlich.

Heute Abend fand eine Hultabesprechung statt.

Wir setzten uns alle rings um das große Lagerfeuer. Die sonst darüber hängenden Kochtöpfe hatten sie abgenommen, aber in der Asche backten noch Brotlaibe und Gemüse.

Argul kam aus seinem Zelt. Er sah atemberaubend aus.

Ich meine, er sah genauso aus, wie ein Anführer aussehen muss. Wie ein junger König. Schwarzes, glänzendes Haar, dunkle Augen, hoch gewachsen, schlank, olivebraune Haut. Er war von Kopf bis Fuß mit goldenen Fransen und Münzen und silbernen Ringen und solchen Sachen geschmückt. »Barbarisch« hätten sie im Haus dazu gesagt. Argul der Barbar. Nemian lächelte. Aber neben ihm saß ja auch dieses hübsche Banditenmädchen, das sich in letzter Zeit auffallend oft in seiner Nähe herumtrieb.

Bei der Besprechung ging es um unsere Reise nach Peshamba. Die Banditen kennen die Stadt zwar, sind aber selbst noch nie dort gewesen oder jedenfalls seit Generationen nicht mehr. (Im ersten Moment war ich verwirrt, weil ich dachte, Nemian käme aus Peshamba. Tut er aber nicht. Ich dachte, alle Städte seien zerfallen oder unter Sand begraben. Aber offenbar gibt es doch noch welche.) (Die Leute im Haus haben uns so viele Lügen aufgetischt. Oder sie waren extrem ahnungslos. Oder beides?)

Peshamba liegt weit weg und der Weg dorthin führt durch diese Staubwüste. Allerdings gibt es wohl noch eine zweite Route durch den so genannten »Regengarten«. Die Banditen stimmten ab, welchen Weg wir nehmen sollen.

Einerseits hat mich das beeindruckt, andererseits wunderte es mich. Argul ist doch ihr Anführer, warum bestimmt er nicht, was gemacht wird? Wozu hat man einen Anführer, wenn am Ende alle gemeinsam entscheiden?

(Blurn sagt, dass seinerzeit auch über meine Rettung abgestimmt wurde. Ich dachte, die überwältigende Mehrheit sei auf meiner Seite gewesen, aber anscheinend hatte fast die Hälfte dagegen gestimmt. Jetzt frage ich mich ständig, wer für und wer gegen mich gewesen ist. Ich mache ihnen keinen Vorwurf. Trotzdem blöd. Am Ende haben es nur fünf Banditen mit den Federern aufgenommen.)

Ich traute mich nicht, Blurn zu fragen, warum Argul sich die Mühe gemacht hatte, mich zu retten. Hatte Angst vor der möglichen Antwort. *Na, weil wir dich in Peshamba als Maultierakrobatin verkaufen wollen.* Oder etwas in der Art.

Sie redeten viel über den Regengarten, ohne dass etwas Genaues dabei herauskam. Sie scheinen selbst nicht zu wissen, was uns dort erwartet. Reisende meiden das Gebiet offenbar. Es regnet viel.

Ich persönlich ziehe jede andere Gegend diesem Staubkessel vor.

Aber ich durfte nicht mit abstimmen, ebenso wenig wie Nemian.

Das schien ihn nicht zu bekümmern. Steht man als Prinz über solchen Dingen? (Ich bin ja nur eine angebliche Prinzessin.) Oder fand er die ganze Diskussion einfach weniger interessant als die Tatsache, dass die Banditin ihm das Haar kämmte? Hmm.

Die Mehrheit stimmte für den Regengarten.

Anschließend blieben die Banditen sitzen und tranken, unterhielten sich oder spielten mit ihren Hunden. Ein paar von ihnen haben Hündinnen aus dem Federerdorf gestohlen. Ich freue mich für die Tiere, denn sie sehen schon gesünder aus und wirken viel sanfter, seit sich jemand um sie kümmert.

Das brachte mich auf die Idee, nach meinem Maultier zu sehen. Außerdem war ich nicht wild darauf, zuzusehen, wie das Mädchen Nemian blaue Perlen in seine goldene Löwenmähne flocht. Also wirklich – wenn ich bedenke, dass die Schafler das mit ihren Schafen gemacht haben.

Natürlich war das Maultier nicht erfreut, mich zu sehen.

Ich strich ihm über die Nase – die wirklich schnuckelig ist – und bot ihm Maultierfutter an.

»Ich bin es. Claidi«, sagte ich mit fester Stimme. »Die liebe Claidi, die du kennst und die dir einen Leckerbissen bringt, den du eigentlich gar nicht verdienst.«

»Du erwartest zu viel«, sagte eine Stimme. »Mit einem Pferd hättest du mehr Glück.«

Es war nicht Blurn, dem ich halbwegs vertraue – was sicher sehr leichtsinnig ist. Ich wirbelte herum.

Vor mir stand Argul, der Anführer der Banditen, dessen Silhouette im flackernden Schein der hinter ihm lodernden Lagerfeuer und Fackeln golden schimmerte.

Wie sollte ich reagieren? Mich in den Staub werfen, weil ich ihm mein Leben verdankte? Oder kühl bleiben, um ihm zu zeigen, dass ich genau wusste, dass er mich nur benutzte?

Du kannst dir denken, was ich gemacht habe.

»Da ich nun mal kein Pferd habe, nützen mir Ihre klugen Ratschläge herzlich wenig.«

»Mich wundert, dass du dir nicht schon längst eins besorgt hast«, sagte Argul. »Beiß doch einfach jemandem die Nase ab und stiehl sein Pferd. Kein Problem.«

»Sie sind der Bandit, nicht ich.«

»Du könntest es lernen.«

Ich dachte: *Ich bin Prinzessin Claidissa von Stern, meine Mutter hieß Abendröte von Stern,* und blickte ihn mit stolz erhobenem Kopf an.

»Warum haben Sie mir das Leben gerettet?«

»Tja, gute Frage.«

In meinem stolz erhobenen Kopf tauchte der Gedanke auf: *Und ich habe mein Leben als Sklavin verbracht.*

Ich sah zu Boden.

Argul sagte: »Ich könnte dir statt des Maultiers ein Pferd geben. Es ist zwar nicht mehr so einfach, in deinem Alter reiten zu lernen, aber es würde sich lohnen. Willst du es versuchen?«

Mich vom Maultier rutschen zu sehen, genügt ihm wohl nicht mehr. Eine Claidi, die von einem Pferd abgeworfen wird, wäre sicher ein noch größerer Spaß.

»Nein danke.«

»Elende Tronkerei«, brummte Argul.

Er drehte sich um und ging. Sein Haar wogte wie Wellen. In seinem locker schwingenden Umhang klingelten Goldplättchen. Melodiös.

Hätte ich doch Ja gesagt. Außerdem: Was sollte dieses *in deinem Alter*? Bin ich dreißig oder was?

Seit meinem letzten Eintrag ist eine Menge Zeit vergangen. Es ist viel passiert. In jeder Hinsicht.

Ich muss etwas zu den Banditen und den Hulta sagen.

Es ist mir ein bisschen peinlich.

Im Haus war das Leben wie versteinert und die Regeln des Lebens waren eiserne Gesetze. Veränderungen waren nicht vorgesehen. In den entscheidenden Fragen durfte man seine Meinung nie ändern.

Dabei glaube ich, dass es im Leben genau darum geht. Leben *ist* Veränderung. Wachsen bedeutet schließlich nichts anderes, als sich verändern, oder? Aus Kindern werden Erwachsene. Welpen wachsen zu Hunden heran. Man kann diesen Prozess nicht aufhalten, und man kann nicht ewig derselben Meinung sein, vor allem dann nicht, wenn man begreift, dass man sich geirrt hat. Einen Fehler gemacht hat.

Aber das weißt du alles schon. Da bin ich mir sicher.

Es ist nur – ich habe es nicht gewusst. Oder doch?

Als Erstes muss ich von einem Morgen erzählen. Es war noch in der staubtrockenen Wüste. Als ich zum Lagerfeuer kam, wo Blurn saß und gierig den Nussbrei löffelte, den die Banditen häufig essen, rief Mehmed der Messerwerfer: »Du solltest ihn vorher aber richtig umbringen, Blurn!« Und ein anderer, Ro, brüllte: »Schling ihn nicht bei lebendigem Leib runter!«

Und Claidi stand da und begriff mit einem Mal, dass sie damals vor dem Fenster nicht Zeugin einer Grausamkeit, sondern eines *Scherzes* geworden war.

Sie machten sich nur über Blurns Essgewohnheiten lustig. Blurn drehte sich um und kommentierte auf die gleiche Art Mehmeds und Ros Manieren (die zugegebenermaßen noch widerlicher sind).

Man lernt also nicht nur aus schmerzhaften, sondern manchmal auch aus komischen Erfahrungen.

Und das ist, für sich betrachtet, auch schon eine lehrreiche Erkenntnis.

Ich weiß langsam nicht mehr, was ich glauben soll.

Ein Beispiel: Seit meinem Auszug aus A.'s Wagen übernachte ich mit einem Kissen und einer Decke im Freien – die Sachen hat mir die Frau gegeben, die mir immer das Essen brachte.

Sie muss meine Unruhe bemerkt haben.

Sie sagte: »Hier gibt es nicht viele Spinnen und Käfer.« Und als sie sah, dass ich noch immer ängstlich schaute: »Auch keine Löwen. Und wenn, dann sieht sie der Wachhabende früh genug.« Und als sie merkte, dass mich auch das nicht beruhigte, fügte sie hinzu: »Wenn du keinen Männerfreund willst, wirst du nicht gestört.«

»Oh. Aha«, sagte ich.

Sie musterte mich von Kopf bis Fuß. »Wo du herkommst, muss es ja schrecklich sein. Bei uns schleicht sich keiner einfach so an einen anderen heran. Wir sind keine Leoparden. Wenn dir einer gefällt, kannst du es ihm sagen, und wenn nicht, wirst du in Ruhe gelassen.«

Habe ich ihr geglaubt? Nein.

Ich konnte vor lauter Panik nicht schlafen.

Ich habe einen Männerfreund. Ich habe Nemian.

Halt, falsch. Ich habe keinen Männerfreund. Oder überhaupt irgendeinen Freund.

Im Haus war es auch ab und zu vorgekommen, dass sich Leute verliebten. (Ich nie.) Aber man musste sehr vorsichtig sein. (Denk nur an meine Eltern. Verbannt, weil sie sich verliebten und ein Kind zeugten.)

Man erzählte sich Geschichten über das Ödland. Und über die Banditen …

Sie sind in Ordnung. Hier wird man nicht belästigt.

Wahrscheinlich nehmen sie mich gar nicht wahr. Ich bin viel zu launisch, langweilig, eifersüchtig und dumm.

Eines Abends in der Abendröte, sah ich, wie sich Nemian

und das Banditenmädchen unterhielten. Sie blickten einander tief in die Augen. Ich spürte eine Art Schmerz, schneidend und kalt glühend. Ich stahl mich davon.

Am nächsten Tag bekam ich ein Pferd. Blurn brachte es mir.

Ich kann mir nicht helfen, ich mag Blurn. Nicht nur, weil er mich gerettet hat. Er ist so… ich mag ihn einfach. Er steckt viel mit Argul zusammen. Und das… ich weiß auch nicht, das macht alles einfacher. (Übrigens hat Blurn eine Freundin. Sie ist wunderhübsch. Außerdem mag ich ihn nicht auf *diese* Art.)

Zurück zum Pferd. Lass es mich dir beschreiben. Es ist blauschwarz – wie der Himmel an dem Abend, an dem ich es bekam. Und es hat kluge, schwarze Augen. Es stand vor mir, schön und nachdenklich, schlug gelassen mit seinem seidigen Schweif, und Blurn verkündete: »Er lässt dir ausrichten, dass du es haben kannst.«

»Wer sagt das?« Als hätte ich es nicht gewusst.

»Er. Argul. Es ist eine Stute. Sie ist eine Nachfahrin der…« – ich verstand kein Wort – »… aus der Soundso-von Soundso-Linie. Sie galoppiert schnell wie der Wind und ist dabei süß wie Honig.«

Natürlich war ich drauf und dran abzulehnen, aber das Pferd, die Stute, schnaubte sanft. Ich ging zu ihr hin und streichelte sie am Kopf.

»Angst hast du keine«, stellte Blurn zufrieden fest.

»Sie ist wunderschön.«

»Hey, Claidi!« Blurn freute sich und strahlte mich mit seinen weißen Zähnen an. Ich war glücklich. Ich hatte etwas richtig gemacht. Endlich.

Und die Stute – sie heißt Sirree – ist traumhaft. Sie hat so viel Geduld mit mir. Man merkt ihr an, dass sie genau weiß, dass ich noch lerne und vieles herausfinden muss. Aber wenn ich sie füttere oder mit ihr spreche, *hört* sie richtig *zu*. Andererseits leide ich Todesqualen. Ich fühle mich wirklich wie eine Dreißigjährige. Die Banditin (sie hat auch einen Namen – Tail) hat mich gewarnt, dass das Reiten noch eine Weile wehtun wird. Der Körper muss sich erst an diese ungewohnte Haltung gewöhnen. Tagsüber ist es nicht so schlimm. Aber abends, wenn ich davonwanke, und dann morgens… Aua! Aua! Aua!

Macht nichts.

Das Maultier hat mich seltsam angeguckt. Blurn sagt, so seien Maultiere nun mal. Sie haben eben Maultiergedanken im Kopf. Aber Pferde verstehen Menschen, so wie Hunde oder Wölfe und häufig auch Katzen und Vögel.

Unterwegs, in der Wüste, trafen wir auf andere Reisende.

In einem Tal sahen wir etwa fünf von Hunden gezogene, niedrige Fuhrwerke, und in einem von ihnen lag *etwas*, mit vielen Säcken bedeckt.

Als Arguls Späher sie entdeckten und wir (ich) davon hörten und zur Spitze des Zugs ritten, um mehr zu sehen, dachte ich: Oha, jetzt werden A.'s Banditen sicher gleich losstürzen und alle ausrauben und ermorden.

Doch die Banditen ritten nur hinunter, um bei der Reparatur eines gebrochenen Rades zu helfen.

Die Hunde der Fremden sahen gesund aus und wedelten mit den Schwänzen. Die Banditen lachten und scherzten mit den anderen Reisenden, und Fetzen ihres Gelächters schallten aus dem Tal zu uns herauf.

Sie luden sie zum Abendessen ein.

Die Verständigung erwies sich als Problem. Kaum jemand beherrschte die Sprache der Fremden. Nur Argul ein bisschen.

Unter den Säcken lag eine große Steinplastik. Sie brachten sie irgendwohin. Wozu, weiß ich nicht.

Niemand wurde ausgeraubt.

Argul *schenkte* ihnen Proviant, Brot und getrocknete Orangen, Reis und Bier.

Der Hultaklan raubt Menschen aus. Immerhin haben sie Nemian, mich und den Schafler verfolgt, weil sie Geld wollten. (Auch wenn A. behauptet hatte, nichts damit anfangen zu können, und es uns zurückgab. Und auch wenn sie uns hinterherritten, um zu sehen, ob ich geopfert werden würde…) Und sie töten Menschen. Es sei denn, sie hätten die Federer bloß verjagt.

Als die Abenddämmerung hereinbrach, zogen die Reisenden mit der Statue weiter, die übrigens einen großen Bären darstellte. (Laut Blurn.)

Wir blickten auf das Land hinunter, das sich unter dem rosigen Himmel ausdehnte, immer weiter und weiter, bis zum Horizont, an dem Rauch aufstieg, der rötlich in das Rosa des Himmels quoll.

»Der Garten«, murmelte Mehmed. (Habe ich schon erwähnt, dass Mehmed auch nett ist?)

Nemian sehe ich in letzter Zeit selten. Er ist nie da, wo ich gerade bin.

»Der Regengarten?«, fragte ich.

»Genau.«

Wir starrten auf das Rot, das im Rosa zerschmolz.

Unbekanntes Terrain für mich, Nemian und die Hulta.

Genau wie das Leben. Niemand weiß, was einen hinter der nächsten Biegung oder hinter dem nächsten Berg erwartet. Der Himmel auf Erden oder der Tod. Man kann nur hingehen und es herausfinden.

In diesem Moment tauchte Nemian auf. Er kam auf seinem edlen Ross herangeritten, und bei ihm, ebenfalls zu Pferd, war das Banditenmädchen.

Er warf mir ein gewinnendes Lächeln zu.

Ich funkelte böse zurück.

»Sieh da, Claidi… wie geht es dir?«

»Darüber habe ich noch nicht nachgedacht. Was für einen Eindruck mache ich denn auf dich?«

»Einen fabelhaften«, strahlte mein abwesender, jetzt anwesender *Freund.* »Ich muss mit dir reden«, fügte er hinzu.

»Ach so, reden.«

»Hebt euch das für später auf«, unterbrach Mehmed. »Erst müssen wir *da* durch.«

Plötzlich begann sanfter Regen zu tröpfeln. Er war trüb und roch doch rußig wie kalte Asche.

Nemians Haar klebte glatt an seinem Kopf. Dunkles Gold. Ich spürte einen schmerzhaften Stich, der noch weher tat, als die Banditin, deren Namen ich noch nicht einmal kenne, ihm ihr Tuch gab, damit er sich trocken reiben konnte.

Als sie davontrabten, warf er mir über die Schulter einen Blick voller Verlangen zu, als wäre er eigentlich lieber mit mir zusammen. Wie gesagt… als sie davontrabten.

Nicht einmal Nemian kann ich vertrauen. Und das hätte ich von Anfang an wissen müssen.

Also den Berg hinauf und um die nächste Biegung herum.

Ich beschloss, mich in meinen Wagen zu setzen und das hier zu schreiben.

Na gut, Arguls Wagen – aber der wird draußen im Regen sein und Pläne schmieden, und wenn er herkäme, würde ich blitzschnell aus dem Wagen springen. Sirree betrachte ich übrigens nur als Leihgabe. Eine geliehene Freundin ist immer noch besser als gar keine.

Ich konnte richtig spüren, wie mein Gesicht immer länger wurde.

Als ich wieder draußen war, sagte Mehmed leichthin: »Na, fragst du dich immer noch, wer von uns dich nicht retten wollte?«

Ich hob ruckartig den Kopf. Er grinste.

»Eine Blitzmerkerin bist du nicht gerade, was, Claidibaari?«

»Danke, zu liebenswürdig.«

»Es war ein *Scherz*, Claidi.«

Ich hätte ihn am liebsten in sein dunkles Gesicht geschlagen. War klug genug, es nicht zu tun.

Mehmed lachte. »Ich habe Blurn gewarnt. Ich wusste, dass du es ihm glauben, es dir zu Herzen nehmen und traurig sein würdest. Wir haben nie abgestimmt, Clääädibääbää. Dazu blieb gar keine Zeit. Als Argul von der Sache hörte, hat er sich einfach vier von uns geschnappt, die gerade nichts zu tun hatten, und wir ritten euch hinterher. Er ist schließlich unser Anführer, du kleines Fuppchen.«

Albträume im Wachzustand

Wenn man erst einmal völlig durchnässt ist, macht einem der Regen wahrscheinlich nicht mehr so viel aus.

Das ist schon in Ordnung.

Alle sehen aus wie halb ertrunken.

Nicht einmal die Wagen bleiben trocken, weil es beim Ein- und Aussteigen hineinregnet.

Der Regen ist rot.

Das heißt, er sieht rot aus und hinterlässt rote Flecken.

Tail hat mir ein Stück gegerbtes Leder geschenkt, um das Buch einzuwickeln, damit die Seiten nicht feucht werden. Sie sprach von dem »langen Brief«, an dem ich schreibe. Offenbar hält sie es für einen Brief. Ist es einer? Vielleicht. Sie erzählte mir außerdem, die Banditen besäßen einen Vorrat an Tintenstiften, was praktisch ist – falls dieser hier leer wird.

Ich wohne nicht mehr in A.'s Wagen. Bei diesem Wetter braucht er ihn vermutlich selbst. Ich bin zu einigen Mädchen in deren Wagen gezogen. Ich glaube, allmählich verstehe ich auch ein paar Wörter der Banditensprache. Im Grunde sprechen sie zwei Sprachen. Dieselbe wie ich und dazwischen flechten sie immer wieder Teile aus einer anderen Sprache ein.

Wenn nachts der rote Regen auf unser Wagendach pladdert, lutschen wir Sirupstangen, und die Mädchen erzählen

Geschichten. Ich habe ihnen auch eine erzählt. Ich dachte sie mir während des Redens aus und baute immer wieder Elemente aus den Büchern ein, die ich im Haus gelesen hatte. Meine Geschichte schien ihnen zwar zu gefallen, aber ihre sind besser. Ich glaube, ihre sind wahr.

Alle finden es hier ziemlich scheußlich.

Überall Steine und Felsbrocken, die teilweise hunderte von *Manngrößen* hoch sind, wie die Banditen sagen. Sie wurden wohl von Wind und Wetter so geformt oder vor langer Zeit von Menschenhand. Man erkennt Bögen, Mauern, Säulen, Türme mit Öffnungen und merkwürdige Treppen, die teilweise aus Stufen und teils aus Schrägen bestehen. Man könnte beinahe glauben, es handle sich dabei ebenfalls um die Ruine einer uralten Stadt. Nur dass diese hier dann nicht verfallen, sondern zerschmolzen wäre, wie niedergebrannte Kerzen.

Am Horizont, gesäumt von den Steinformationen und etwa noch eine Meile entfernt, ragen Krater empor, aus denen Rauch aufsteigt und gelegentlich blutrote Flammen schlagen.

Aus einigen dieser Qualmlöcher quellen rußige Säulen in den Himmel, der immer von Wolken bedeckt und rosig überhaucht ist.

Der Regen wird anscheinend durch den Rauch, die Gluthitze und die auflodernden Flammen ausgelöst.

Wenn er vom Himmel fällt – und das tut er ohne Unterlass –, fühlt er sich an wie *nasses* Feuer.

Wie sind die bloß auf den Namen Regen*garten* gekommen???

Gestern Abend erzählte eines der Banditenmädchen (eigentlich noch ein Kind von knapp sieben Jahren, das sich aber wie eine erwachsene Frau benimmt, ein Messer im Gürtel stecken hat und mordsgefährlich wirkt) eine Geschichte über den Regengarten. Sie sagte, eines Tages sei die Erde aufgebrochen und Flammen seien emporgelodert, die alles hier versengt hätten. Der Boden unter unseren Füßen bestünde aus zermahlenen und von der Sonne hart gebackenen Menschenknochen.

Angeblich wird es sieben bis zehn Tage dauern, das Gebiet zu durchqueren. Wir sind jetzt seit fünf unterwegs. Das Ganze kommt mir vor wie ein böser Traum.

Elfter Tag und kein Ende in Sicht. Argul hat wieder die Runde gemacht und mit jedem ein paar Worte gewechselt. Er wirkte sehr gelassen. Blurn, der ihm das Pferd hielt, war sichtlich stolz auf seinen Anführer. Selbst die alten Männer hören auf Argul. Schon Arguls Vater war Anführer der Hulta und auch seine Mutter war eine sehr mächtige Frau. Es heißt, sie kannte sich nicht nur mit Kräutern, sondern sogar mit chemischen Stoffen aus. Eine Zauberin.

»Hast du den Anhänger bemerkt, den er um den Hals trägt?«, fragte Tail. »Den hat er von seiner Mutter.«

Der Glückliche hat seine Mutter gekannt, schoss es mir durch den Kopf. Ja, ich gebe zu, ich bin neidisch. Ich wünsche mir nichts mehr, als meine Mutter gekannt zu haben.

Doch dann sagte Tail: »Sie starb, als er ein Kind war.« Als hätte sie meine Gedanken gelesen und würde mich zurechtweisen.

Von einer Hügelkuppe aus konnten wir heute sehen, wo dieser Abschnitt unserer Reise enden wird. Es sind immer noch einige Meilen. Allerdings sah die Gegend, der wir uns nähern, auch nicht gerade viel versprechend aus.

Peshamba liegt irgendwo in dieser Richtung. Im Süden.

Aber zuerst kommen wir in ein Gebiet, das dicht mit Vegetation bedeckt zu sein scheint. Ein unergründliches Dickicht.

Aus den Büchern weiß ich, dass Lava und Schwefel, sobald sie sich abgesetzt haben, den Boden mit Nährstoffen versorgen – wahrscheinlich ist es dort deshalb so grün.

Die Luft schmeckt nach Asche und es riecht häufig nach faulen Eiern.

Sirrees Fell ist ganz feucht und mit roten Schlieren überzogen, ganz gleich, wie oft ich sie abreibe und striegle.

Gestern hörten wir tief in der Nacht etwas Merkwürdiges.

Eine Art durchdringenden Schrei.

Die Banditenmädchen und ich stürzten aus dem Wagen. Die Haare standen uns zu Berge. Den anderen ging es genauso. Die sonst so stillen Hunde kläfften und winselten und die Pferde versuchten, sich loszureißen.

Der Schrei zog sich endlos in die Länge – und brach dann abrupt ab.

Alle redeten durcheinander: Was war das? Was war das? Die Kinder weinten vor Angst. Es war wie ein gemeinsamer Albtraum, aus dem wir alle zur gleichen Zeit erwacht waren.

Etwa zwei Meilen zu unserer Linken begann ein besonders aktiver Vulkan plötzlich, weinrote Ströme auszuspucken.

Deshalb vermuteten einige, das Geräusch sei im Vulkanschlot entstanden. Die Gase, die sich dort bilden, bevor sich die Lava ergießt, machen bei der Verpuffung oft merkwürdige Geräusche.

Wir standen noch sehr lange im Regen herum, voller Angst, der furchtbare Schrei könnte wieder ertönen. Doch es blieb still.

Fürchtete, ich würde nie mehr einschlafen. Schlief dann aber doch.

Übrigens habe ich Nemian seit mehreren Tagen und Nächten nicht mehr zu Gesicht bekommen. Wenn ich den Banditen gegenüber so misstrauisch wäre, wie ich es anfangs war – und klugerweise immer noch sein sollte –, würde ich vermuten, sie hätten ihm, wie es in der Hultasprache heißt, *das Licht ausgeblasen.*

Aber ich habe von einem der Mädchen erfahren, dass er im Wagen der Familie des Mädchens mitreist, mit dem er so viel zusammen ist.

Draußen ist es ihm bestimmt zu nass. Außerdem bemühen sie sich sicher rührend um ihn. »Noch ein Kissen, Nemian? Noch ein Stück Kuchen?«

Schon daran zu denken, bringt mich zur Weißglut. Und ich bin furchtbar enttäuscht. Aber komischerweise denke ich nicht so oft an ihn. Bin *ich* etwa diejenige, die oberflächlich ist?

Der Erdboden sah aus wie riesige, unregelmäßig zersprungene Steinplatten. Hinter uns lag der feuchte rote Rauch und vor uns das undurchdringliche Dunkel.

Nemian galoppierte auf seinem sandfarbenen, schlanken Ross durch den letzten Regen auf mich zu und trabte dann neben Sirree und mir her durch die feuchtschwüle Merkwürdigkeit.

»Hallo, Claidi.«

»Na?«

»Du siehst nicht nur aus wie eine waschechte Banditin, du klingst auch so.«

Ich antwortete nicht.

Nemian sagte: »Ich frage mich, was du von mir denkst.«

»Möchtest du die Antwort schriftlich? Sie könnte allerdings mehrere Seiten lang sein.«

»Dann verzichte ich lieber. Bewundernswert, wie du dich hier eingelebt hast. Als Prinzessin unter Dieben.«

»Ich bin keine Prinzessin«, antwortete ich.

Darauf sagte er nichts mehr.

Die Geräuschkulisse der Kolonne aus Pferden, Wagen, Maultieren und Menschen, das Rumpeln der Räder, das Geschrei, Geschimpfe und Geklapper waren eine mir inzwischen vertraute Melodie.

»Jizania hat sich die Prinzessin-Claidi-Geschichte ausgedacht. Alles gelogen«, behauptete ich. Obwohl ich mir selbst nicht sicher war, ob ich das wirklich glaubte.

»Sie hätte niemals gelogen«, entgegnete er.

»Nicht! Das musste sie aber sowieso. Sonst hätten sie gewusst, dass sie für deine Befreiung verantwortlich war.«

»Aha. Sehr gut kombiniert. Du bist ein schlaues Schätzchen, Claidi. Ein Juwel.«

»Na großartig«, sagte ich. Und blickte stur geradeaus.

Sonst hätte ich ihn angesehen. Und mir wäre mein hochmütiger Tonfall vergangen. Ich hätte ihn doch wieder unwiderstehlich gefunden und alles hätte von vorn angefangen.

»Du hast dich gut angepasst. Genau wie ich. Das ist meine Stärke. So kommt man durch. So überlebt man. Verurteile mich nicht, Claidi. Wenn wir in die nächste Stadt kommen, müssen wir uns unbedingt in Ruhe unterhalten. Ich muss dir einige Dinge erklären.«

»Gut.«

Von der Spitze unseres Zuges her ertönte ein Ruf. Wir hatten den Grüngürtel erreicht. Das Dunkel.

»Claidi«, sagte Nemian leise und doch bestimmt, ein betörendes Vibrato in der Stimme. »Ich *brauche* dich. Bitte vergiss das nicht.«

Damit war er weg.

Und wir erreichten den…

Den…?

Später fragte ich mich, ob die Gegend deshalb Regengarten heißt. Denn es ist eine Art… ja, ein Garten. Ein Wald, ein Obstgarten oder so etwas.

Zunächst kamen wir zu etwas Wiesenähnlichem. Der Boden war mit dunkelgrünem Moos und merkwürdigen »blühenden« Büscheln bewachsen – sie hatten biegsame, dunkle Blätter, an denen graurosa, glöckchenartige Früchte bimmelten. Dazu schwarz-gelb geringelte Pilze, die giftig aussahen, wie Wespen.

Auf diesem wiesenartigen Gelände standen vereinzelt »Bäume«. Sie wurden zunehmend dicker und dichter, bis wir schließlich durch einen Garten-Obstbaum-Wald ritten.

Die Stämme der Bäume waren zart geädert und von Efeu und Schlingpflanzen überwuchert, man konnte aber hindurchsehen, weil sie halb durchsichtig waren. Sie hatten etwas von riesenhaften Blumenstängeln. Und oben im Geäst, wo weder Schlingpflanzen noch Efeu waren, wuchsen lanzenartige Blätter von einem blassen, leuchtenden Grün. Und Früchte.

Diese Früchte waren das Merkwürdigste überhaupt. Im Garten des Hauses wuchsen in Treibhäusern und auf speziellen Parzellen alle möglichen Obst- und Gemüsesorten. Aber so etwas wie das hier hatte ich noch nie gesehen.

Sie waren am ehesten mit Karotten vergleichbar. Allerdings mit Karotten, die buchstäblich durchgedreht waren, sich nach allen Richtungen bogen und krümmten und sich teilweise regelrecht ringelten.

Die Reisenden aus den Erzählungen, die ich in der Bibliothek des Hauses gelegentlich gelesen hatte (versteckt hinter Bücherstapeln, hinter denen ich meist alsbald hervorgezerrt wurde, um verprügelt zu werden), aßen sämtliche absonderliche Früchte, die sie fanden, und wurden prompt krank. Von den Banditen rührte keiner die Früchte an. Noch nicht einmal die Kinder.

Sie werden gewusst haben, wieso.

Also ließ ich es ebenfalls bleiben. Deshalb kann ich hier auch keinerlei lehrreiche Angaben über Geschmack oder Wirkung dieser Früchte machen.

Leider war dies einer jener schrecklichen Orte, von denen es laut der im Haus erzählten Geschichten im Ödland so viele gab. In diesem Fall fand ich alle Vorurteile bestätigt.

Zu allem Übel tropften die Bäume. Es war wie eine andere Form von Regen. Eine Art klebriger Saft oder ein Harz. Ich hielt ihn für ungefährlich, weil er nicht auf der Haut brannte, aber schon nach kurzer Zeit war alles, einschließlich Haare und Kleidung, von einer schmierigen Schicht überzogen. Ich fühlte mich, als wäre ich in einen Marmeladentopf gefallen.

Die baumartigen Gewächse ragten endlos empor. Einige

waren hoch wie Türme, so hoch wie die Bäume im Garten des Hauses. Es war dunkel und vom wolkenverhangenen, nebligen Himmel war die meiste Zeit nichts zu sehen.

Das Rumpeln der Hultawagen war leiser geworden. Die dichte Vegetation dämpfte jegliches Geräusch, aber auch sonst war es ungewöhnlich ruhig. Keine Rufe, keine Flüche. Die Kinder tollten nicht herum. Wenn die Pferde den Kopf schüttelten, klang das Bimmeln der mit Glöckchen und Münzen geschmückten Zaumzeuge blechern, und ich sah sogar einige Reiter die Hände ausstrecken, um die Glocken festzuhalten.

Nemian war, wie gesagt, davongeritten. Ich trieb Sirree schnalzend an und ritt an der Wagenkolonne entlang, bis ich auf Ro und Mehmed traf.

»Das geht noch über Meilen so weiter«, sagte Ro.

Ich hatte ihn nicht danach gefragt. Aber vermutlich wollte jeder von jedem wissen: »Wie lange noch?«

»Gefällt's dir?«, erkundigte sich Mehmed.

»Kein bisschen.«

»Ich finde es gruselig«, gestand Ro. »Erinnert mich an diesen Wald weiter im Norden, weißt du noch, Mehm?«

»Der mit den Pantern?«, fragte Mehmed.

»Genau der. Wo die Bäume sich zu dir hinunterbeugen und versuchen, dich zu packen und in dieses Zeug einzuwickeln, bis du dich nicht mehr rühren kannst. Und dich dann über Monate hinweg langsam verdauen.«

»Oh«, machte Mehmed.

Beide waren grün im Gesicht. Aber so sahen wir in diesem dunkelgrünen Schummerlicht wahrscheinlich alle aus.

Plötzlich plumpste eine Karottenfrucht vom Baum und platzte auf Ekel erregende Art am Boden auf.

Wir starrten noch darauf, als bereits der nächste Schauer von Karotten niederging, die alle zerbarsten. Und dann begann der gesamte Gemüsewald zu beben.

Lang gezogene, dumpfe Schläge dröhnten von allen Seiten.

»Ein Erdbeben«, verkündete Ro.

Die Äste über uns zitterten heftig. Schlingpflanzen rissen knallend entzwei, entwirrten sich und klatschten zu Boden wie schlaffe Seile. Drahtige Stängelchen und Blätter wirbelten in der Luft durcheinander, während immer mehr Früchte auf widerliche Weise zerplatzten.

Im aufgeregten Stimmengewirr hörte ich angsterfüllte, spitze Schreie.

Aus der Tiefe des Waldes ertönte ein Furcht erregendes Krachen und Splittern. Wie Windrauschen – aber dieser Wind war etwas Handfestes.

»Es kommt auf uns zu!«, schrie Mehmed.

Er hatte Recht. Von Panik ergriffen, riefen alle durcheinander: »Wo ist es?«, »Da drüben! Da ist es!« oder »Nein, dort!« Und schließlich ertönte ein einzelner gellender Schrei: »Nein – da oben! Direkt *über uns*!«

Wir blickten alle hoch. Aus den Wipfeln der Bäume starrte ein Dämon auf uns herab.

Mir blieb das Herz stehen. So fühlte es sich jedenfalls an.

Dieses Gesicht…

Es war eine gelbe Fratze, mit tellergroßen schwarzen Augen und spitzen Hauern – eingerahmt von einer Mähne aus Dunkelheit, in der goldene Flammen züngelten.

Aus seinem Maul drang ein trommelfellzerreißendes Donnern, das ein Schrei war.

Die Pferde bäumten sich auf. Sirree auch – mir ist ein

Rätsel, wieso ich nicht herunterfiel. Ro stürzte. Die Hunde heulten. Und dann – unbegreiflich – plötzlich Stille.

Die Hunde kauerten am Boden. Die Pferde bebten. Wir Menschen waren zu Stein erstarrt. Wir blickten nach oben. Fast zu betäubt, um Angst zu empfinden. (Einen Moment lang nahm ich Argul wahr, der ganz vorne stand und dem Ungeheuer ins Auge sah, der zwischen uns und ihm stand…)

Das Wesen starrte aus den Bäumen auf uns herunter.

Es sah aus wie die Bärenstatue, nur anders. Es hatte lange Arme, unglaublich lange Arme, die von dem Ast herabbaumelten, auf dem es hockte. Die Klauen allein waren schon so lang wie mein ganzer Arm. Glaube ich. Insgesamt war es wohl mindestens so groß wie zwei ausgewachsene Männer.

Sein Körper war völlig mit Fell bedeckt, schwarzem Fell, das mit rostroten Strähnen durchsetzt war. Zusätzlich wuchsen in diesem Pelz auch Efeu und Schlingpflanzen wie auf den Bäumen, und ich sah darin weitere Gewächse, wuchernde Blumen, Pilze – und im Dickicht dieses Fells und dieser Vegetation schienen wiederum andere kleinere Wesen zu hausen – Mäuse, vielleicht Schlangen –, die zwischen den Strähnen wuselten. Knopfäuglein blitzten auf und erloschen wieder und geschmeidige Körper glitten durch das Haarmeer wie Fische durch einen Teich.

Rings um den Kopf, um diese wahnsinnige Fratze, wirbelte eine Art goldene Krone, die zu flimmern schien. Sie bestand nämlich aus zahllosen fetten grünlich goldenen Fliegen, die ständige Begleiter des dämonenhaften Bärengeschöpfs sein mussten. Denn es nahm keine Notiz von ihnen, ebenso wenig wie von den anderen Tieren, die es bevölkerten. Es war eine *Welt* für sich.

Diese Furcht erregende Fratze starrte also auf uns nieder. Das Gesicht strahlte zugleich etwas Weises aus, aber weise auf eine Art, die mir fremd ist und es auch bleiben soll.

Das Untier sperrte die Kiefer auf und stieß wieder diesen grässlichen, ohrenbetäubenden Schrei aus.

Keiner von uns sagte etwas.

Die Bestie lauerte über uns – reglos und durch das Gewimmel der auf ihr lebenden Tiere zugleich doch anscheinend rastlos in Bewegung.

Nach einer Weile hatte das Ungeheuer offenbar genug von uns. Es streckte einen seiner endlos langen Arme aus, ein einziges Durcheinander von Haaren, Blättern und Mäusen, um das fröhlich fette goldene Fliegen herumtanzten – jede davon so groß wie Ros Füße. Aus seinem Pelz rieselte Staub. Sand, vermute ich, aus den Lavagruben.

Es pflückte eine Hand voll der Früchte und stopfte sie sich ins Maul.

Dann reckte es beide Arme vor und sprang, wobei ein Schauer aus Blättern und Staub niederging, mit einem Riesensatz quer durch die Wipfel, griff nach einem weit entfernten Ast und schwang sich in das Dunkel des Waldes zurück.

Etwa eine Stunde lang rührte sich keiner von uns und niemand sagte ein Wort.

»Ein Menschenaffe«, verkündete Ro schließlich.

»Bär.« Mehmed.

»Affe, du Dummkopf. Bären schwingen sich nicht so durch die Bäume.«

Ich begann, flüsternde Stimmen zu hören und schließlich lautes Gelächter. Argul unterhielt sich mit einigen Männern und Frauen, wobei er öfter zu uns herüberschaute. Zweifellos, um zu sehen, was M. und R. trieben.

Wir lebten noch. Zitternd strich ich Sirree übers Fell.

Sie hatten nicht gelogen im Haus. Es gibt wirklich Ungeheuer im Ödland. Dieses hier war zum Glück Vegetarier gewesen.

Peshamba

Nach all dem war Peshamba eine Erleichterung.

Und ein Schock zugleich. Peshamba ist schön.

Tatsächlich nahm die Reise durch den Monsterwald, während der ich mich immer wieder fragte, ob wir wohl noch weiteren Bärenaffen begegnen würden, die womöglich hungriger und weniger wählerisch oder sogar noch grauslicher sein würden als der Bärenaffe (??!), lediglich den Rest des Tages in Anspruch.

Wir kamen noch vor Sonnenuntergang aus dem Wald heraus. Das war schon erleichternd, und ich hörte einige Leute »beten«, wobei es sich um so eine Art Dankesgesang handelt. (Diese Sache mit Gott oder Göttern ist mir nach wie vor nicht ganz klar. Im Haus gab es keine Götter, Gebete oder Schreine. Das Konzept war völlig unbekannt. Jedenfalls soweit ich weiß.)

Hinter dem Wald breitete sich eine grasbewachsene Ebene aus. Anfangs sah das Gras noch trocken und versengt aus, doch bald taten sich grüne und saftige Wiesen und *Regenbögen* vor uns auf.

Als die Sonne unterging, blickte ich, auf einem Hügel stehend, auf eine smaragdgrüne Fläche hinunter, über der ein zartviolettes, blaues und rosarotes Schimmern lag.

»Wildblumen«, erklärte mir die siebenjährige Messerträgerin (sie *heißt* sogar »Dagger«, was »Dolch« heißt).

»Oh«, staunte ich.

Was soll man davon halten? Im Haus hatten sie uns vor Wüsten, Ungeheuern und Verbrechern gewarnt. Ja, gut, die gibt es tatsächlich. Aber dort hatten auch alle behauptet, es gäbe nur im Haus und im Garten saftiges Grün und Blumen.

Außer Jizania. Aber der traue ich nicht mehr.

»Warst du schon einmal hier?«, fragte ich Dagger.

»Nein. Wir fahren sonst nicht in diese Richtung. Die besten Handelsplätze liegen im Norden und Osten.«

Sie meinte sicher, die besten Plätze, um Leute auszurauben.

Aus Höflichkeit sagte ich das nicht laut.

»Du hast wohl schon viele Wildblumen gesehen?«, fragte ich.

»Ich hab schon so ungefähr alles gesehen«, prahlte Dagger.

Das halte ich für durchaus möglich.

In dieser Nacht zirpten Heuschrecken im Gras.

Am Morgen zogen die Hulta rumpelnd weiter. Wir ritten quer über die Blumenwiese. Ihr Anblick war wirklich beeindruckend. Wilde Hyazinthen und Rosen, ein Meer aus Winden und Lilien. Der Duft war herrlich. Als ich einen Blick nach hinten warf, sah ich das Walddunkel am Horizont davongleiten.

Und dann tauchte vor uns die Stadt auf.

Ich traute meinen Augen nicht. Sie sah aus wie ein kostbares Schmuckstück.

Und je näher wir kamen, desto prachtvoller wurde sie.

Die Zinnen der in Kaskaden zum Himmel wachsenden, bleichen Mauern sind mit Gold geschmückt. (Nur dünnes Blattgold, aber immerhin.) Die Fenster schillern wie Bon-

bons, weil die Scheiben aus buntem Glas sind. Und überall wölben sich Kuppeln, weißlich durchscheinend wie Lampen, in denen eine Kerze glimmt. Aber auch rubinrot und türkis, über und über mit goldenen Verzierungen bedeckt.

Die Banditen waren ebenfalls beeindruckt, obwohl sie Peshamba bereits aus Erzählungen kannten.

Ich wüsste zu gern, was Nemian davon hält. Aus dem wenigen zu schließen, das er über seine eigene Stadt gesagt hat, scheint sie unsagbar schön zu sein, mit nichts zu vergleichen. Noch schöner als diese?

Die Mauern sind so hoch wie fünf aufeinander gestapelte Häuser und hinter ihnen ragen weitere, höhere Mauern empor.

Vor der Stadt liegt – wie eine blau glänzende Schürze – ein See. Peshamba scheint mitten darin zu stehen und tut es zum Teil auch tatsächlich. Das Spiegelbild der Stadt schwimmt auf dem Wasser und Peshamba schwebt darüber, zwischen Wasser und Himmel.

»Kann man das Wasser trinken«, fragte ich Dagger.

Sie zuckte mit den Schultern. Das tut sie immer, wenn sie von etwas keine Ahnung hat. Als wolle sie sagen: »Ich weiß es nicht, also kann es nicht so wichtig sein.«

Als wir an den See kamen, riss sich die Hälfte der Banditen Hemd, Umhang, Jacke und Schmuck vom Leib und stürzte sich in die Fluten. Die Frauen suchten sich eine etwas versteckter liegende Stelle zwischen einigen Weiden.

Ob wir von den Mauern aus beobachtet wurden? Hielten sie uns gar für Feinde?

Doch als wir später über die steinerne Brücke, die ich zu erwähnen vergaß, über den See ritten, stand die Pforte in der Mauer weit offen.

Der schmale Durchgang war mit Marmorplatten gepflastert, und vor uns stand ein Riese, der um die Hälfte größer war als ein ausgewachsener Mann.

Er war vollständig in eine Metallrüstung gekleidet und hielt in einer Hand eine schwere Axt. Sein Helm war aus Gold und mit einem weißen Federbusch geschmückt. Eine goldene Maske verbarg sein Gesicht.

Da ich ziemlich an der Spitze der Hulta-Horde ritt, sah ich, wie Argul mit seinem Pferd vor dem Riesen Halt machte und ihn mit ernster Miene abwartend ansah.

Eingedenk der Geschichten aus den Büchern fragte ich Mehmed: »Muss jetzt einer von uns gegen den Riesen kämpfen?«

»Ich hätte dazu jedenfalls keine große Lust. Der Tronker ist gewaltig.«

In diesem Moment sprach der Riese: *»Nennt Euren Namen.«*

Eine höchst befremdliche Stimme. Vielleicht lag es an der Maske, dass sie so blechern klang.

Argul rief: »Die Hulta.«

»In welcher Angelegenheit unterwegs?«

»Wir sind Fahrende«, antwortete Argul. Und leichthin: »Besucher, die Eure Sehenswürdigkeiten betrachten wollen.«

Der Riese senkte seine Axt.

»Fügt in Peshamba niemandem Schaden zu, dann wird euch in Peshamba kein Schaden zugefügt.«

Die Hulta sind sehr zahlreich. Nachdem sich der Riese in eine Art Nische in der Marmorwand zurückgezogen hatte, zwängten wir uns alle mitsamt Wagen und Tieren durch das Tor.

Ro ritt neben mir her. »Mit *dem* würde ich mich nicht anlegen wollen«, sagte er.

Tail kam hinter uns. Vor ihr auf dem Pferd saß eines der kleinen Mädchen. (Die Hultakinder können schon mit vier oder fünf Jahren reiten. Daher auch Arguls Bemerkung über mein fortgeschrittenes Alter.)

»Von denen hab ich schon gehört«, rief Tail und deutete auf den Riesen. »Die sind mechanisch. Da steckt ein Uhrwerk drin.«

Ro schnaubte und hielt neben dem Riesen an. »Sag mal, Kumpel. Bist du ein *Aufziehmännchen*?«

Die goldene Maske beugte sich knarzend zu ihm hinab. Es war keine Maske. Es war ein Gesicht aus vergoldetem Metall, das keine Antwort gab.

Wir ritten weiter und trafen am Ende des schmalen Durchgangs auf ein weiteres, breiteres Tor.

Hier erwarteten uns zwei lange Reihen von Wächtern, die strammstanden und Äxte über der Schulter trugen. Ihre scharlachroten Uniformen waren reich mit Epauletten, Litzen, Tressen, Sporen, Dornen und Metallplatten verziert. Diesmal waren es keine Riesen. Genau gesagt waren sie kaum größer als ich.

Als wir an ihnen vorüberritten, präsentierten sie ihre Waffen, indem sie die Äxte mit dem Schaft nach unten kräftig auf den Boden knallten.

»Sind sie gefährlich?«, fragte ich.

Tail antwortete: »Nein. Aber wenn jemand sie angreift, werden sie wild. Sie sind unverwundbar und lassen sich durch nichts aufhalten.«

Ich fragte, woher sie das wisse. »Och, man hört so dies und das«, sagte Tail.

Auf unserem Weg kamen wir noch durch weitere Durchgänge und Tore, die allesamt von mechanischen Wächtern bewacht wurden. Ein paar von ihnen trugen sogar silberbeschlagene Gewehre. Sie sahen um Klassen besser aus als die Wächter im Haus.

Irgendwann standen wir in einem riesigen Garten – hier sagt man *Park* dazu.

Blauzedern und olivgrüne Palmen, die ihre Fächer über den Himmel breiteten. Sorgfältig zu dunklen, gewachsten Quasten getrimmte Zypressen. Springbrunnen. Eine Prozession schneeweißer Enten, die gemächlich über den Rasen watschelte.

Argul ritt an uns vorüber.

»Ihr kennt euch nicht aus, also seid vorsichtig.« Er sah die begehrlichen Blicke, mit denen Ro die Enten beäugte. »Reiß dich zusammen«, warnte Argul seinen Mann und deutete mit dem Finger in die Höhe. Hoch oben, auf einem schweinespeckrosa Turm, drehte sich langsam ein gläsernes Ding, das im Sonnenlicht funkelte. »Sie behalten alles im Auge. Siehst du das? Es beobachtet uns.«

»Was, *das da*?«

»Ja, genau.«

Die Warnung verbreitete sich wie ein Lauffeuer unter den Leuten auf ihren Pferden und Wagen.

Auf der anderen Seite des Parks sahen wir prächtig gekleidete, lustwandelnde Herrschaften und Ball spielende Mädchen in schimmernden Seidenstoffen.

Blurn tauchte neben uns auf. »Reiß dich zusammen, Ro.«

»Ja, ja. Ist schon gut.«

In der Parkmitte stand ein riesiges Gebäude mit zahlreichen Außen- und Innenhöfen. Drinnen wimmelte es von Menschen. Es trug den Namen »Wanderers Rast«.

Ich bemerkte auch einige (mir) neue Tiere. Keine Pferde, sondern so genannte Zebras. Sie sind schwarz-weiß gestreift, und wenn man sie anschaut, wird einem schwindlig. Außerdem drei Paar walnussbraune »Ochsen«. Überall standen Zelte, Fuhrwerke und Wagen und über den Höfen flatterten bunte Wäschestücke zum Trocknen im Wind. Es gab Brunnen, Teiche und kunstvoll gestaltete Wasserspiele, um die sich Menschen scharten.

Der Lärm war unbeschreiblich. Ein Stimmengewirr aus tausenden von Sprachen.

Als ich, mit Bündeln bepackt, eine Treppe hinaufstieg, schaute ich über eine Mauer und sah noch mehr von der Stadt. Unter mir lagen die wie Edelsteine leuchtenden Kuppeln, und dazwischen erhob sich ein schmaler grüner Turm, in dem eine goldene Glocke hing. Ich blickte auf Plätze und Straßen und Villen, die wie Torten verziert waren. Alles war von einer durchscheinenden Farbigkeit und erstrahlte im Sonnenlicht. Und dann die Gärten – überall Gärten. (Ich entdeckte auch noch einen dieser rotierenden, funkelnden Kristalle.)

Über den Ausdünstungen der Hulta und all der Menschen und Tiere lag der Duft von Gewürzen und feinen Speisen, von Tabak, Efeu und Blumen und auch der Geruch von sonnenwarmen *Backsteinmauern*, den ich schon halb vergessen hatte.

Wir Mädchen und Frauen wurden in einem ziemlich großen Saal untergebracht. Dem Beispiel der anderen Frauen im Rasthaus folgend, begannen wir unverzüglich, Kleider,

Unterwäsche und Laken zu waschen und sie zum Trocknen aus den Fenstern und sogar über die Dachsparren zu hängen.

Die Schlange vor den Badezimmern war lang, doch die Warterei lohnte sich.

Ich hatte auch vergessen, wie köstlich ein Bad in hautkühlem Wasser sein kann, dem man gestohlene Kräuter und Öle zugesetzt hat. Hier kann man das alles kaufen. Ich nicht – aber Tail kaufte sich etwas und gab mir davon ab. Es gibt auch Seife und andere Dinge, mit denen man sich parfümieren kann.

Ich wusch mir die Haare. Das letzte Mal waren sie vom roten Regen gewaschen worden. (Ich ging auch hinunter, um Sirree abzureiben und zu striegeln, doch das war bereits erledigt worden. Im Rasthaus gibt es eigene Stallburschen, und Argul hatte ihnen Geld gegeben, damit sie sich um alle Pferde und Hunde kümmerten. Selbst die beiden Schoßaffen der Hulta wurden gebürstet und mit duftiger Bananenessenz eingerieben.)

Anfangs hatte ich Schwierigkeiten, die Einheimischen der Stadt von all den vielen anderen Leuten zu unterscheiden, die hier untergebracht sind.

Äußerlich sind die Peshambaner eine bunte Mischung, wie die Menschen überall. Doch ich erkenne sie inzwischen an ihrer Kleidung, die aus sagenhaft seidigen Stoffen von unglaublicher Farbigkeit besteht. Ach ja, und manche tragen Masken. Sie verdecken nicht das gesamte Gesicht, sondern nur die Augen. Das scheint eine Art Mode zu sein – vielleicht damit sie den mechanischen Aufziehpuppen ähneln, von denen es hier angeblich so viele gibt?

Der Saal, in dem wir einquartiert sind, summt vor Aufregung wie ein Bienenkorb. Heute Abend findet ein Fest statt. (Ich musste an die Federer denken und mir wurde angst und bang, aber es scheint etwas ganz anderes zu sein.) Die Banditen öffneten die schweren Truhen aus den Wagen und dabei kamen atemberaubende Festkleider zum Vorschein. Damit können sie es sogar mit der peshambanischen Kleidung aufnehmen.

Eines der Mädchen drängte mir – als »Geschenk« – ein dunkelblaues Kleid auf, das über und über bestickt und mit silbrig glänzenden Pailletten besetzt ist. Alle klatschten, als ich es anzog. Ich genierte mich, war gerührt und nahm es ihnen zugleich auch ein bisschen übel. Eine seltsame Mischung. Ich glaube, sie bemitleiden mich wegen Nemian. (Der, wie mir eine der Frauen verraten hat, offenbar schon in der Stadt flaniert.)

Doch ich gefiel mir in dem Kleid, als ich mich im Spiegel betrachtete.

Wir schminkten uns gegenseitig. Schwarz um die Augen, Puder für die Wangen und parfümierte Farbstäbchen für die Lippen.

»Schöne Claidibääbää!«, riefen die Mädchen und tanzten um mich herum. Ich stand buchstäblich im Mittelpunkt.

Eine andere Frau gab mir silberne Ohrringe mit Saphiren. Richtigen, echten Saphiren.

»Hultai Chura!«, jubelten alle.

Ich nehme an, das heißt übersetzt »Liebchen der Hulta«. (!!!) Aber warum?

Wir aßen in der Haupthalle zu Mittag, wo man sich für Geld Essen kaufen kann – Pfannkuchen und Gemüse. Später brachten sie mir im Schlafsaal die Schrittfolgen wilder

Hultatänze bei. Man galoppiert, stampft mit den Füßen und schüttelt den Kopf (wie ein Pferd).

Ich habe schon lange nicht mehr so gelacht. Wir lagen fast am Boden.

Mit schlechtem Gewissen fällt mir ein, wie Daisy, Pattoo und ich trotz der dummen, grausamen Hausgesetze Möglichkeiten fanden, zu kichern und herumzualbern.

Nun dämmert der Nachmittag dem Abend entgegen, und schon bald wird sich der Himmel mit der Abendröte überziehen, der meine Mutter ihren schönen Namen verdankt.

Ich habe mir vorgenommen, heute Abend einfach Spaß zu haben.

Nemian – na ja. Grulps, wie die unanständigeren Hulta sagen würden. Genau, *grulps.*

Irgendeiner wird schon da sein, der mich nett findet, mit mir tanzt und meine Hand hält. Ich will mir jetzt keine Gedanken über das Ob, Wie oder Wer machen. Es wird sich schon einer finden lassen. Heute ist einer dieser Abende.

Und eine Prinzessin bin ich nie gewesen. Das war doch bestimmt eine Lüge.

Sie spielten dieses Lied … Der Text … es ging irgendwie um den Mond, der sich hinter einer Wolke versteckt …

Wie soll ich mir auf all das einen Reim machen?

Ich gebe mir ja die größte Mühe, aber bitte, bitte, du Produkt meiner Fantasie, hab Geduld mit mir. Es ist nicht einfach.

Ein riesiger Platz im letzten Rest des Tageslichts, von hohen, eleganten Bauwerken gesäumt, gelegentlich lugt zwischen den Häusern der Park hervor, mit wolkigen, dunkelgrünen Bäumen. Unten stehen Orangenbäume, an denen orange-goldene Früchte hängen. An der Ostseite des Platzes führen Stufen zu einem mit aprikotfarbenen Marmorplatten bedeckten Podest hinauf. Darauf erhebt sich ein hoher weißer Turm. Und in dessen Spitze tickt eine Uhr. Ja genau: eine *Uhr.*

Wenn man das Ziffernblatt zum Vermessen nach unten auf den Platz holen könnte, würde man wohl feststellen, dass es in etwa die Größe des Alabasterfischteichs im Garten des Hauses haben muss. Riesig.

Die Uhr ist in Gold und Silber gefasst, und davor stehen drei geschnitzte Figuren, die sehr lebendig wirken, nur dass sie so groß, bemalt und vergoldet sind. Ein Mädchen und ein Mann und in der Mitte ein sich aufbäumendes weißes Pferd. Aus der Stirn des Pferdes ragt ein langes Horn aus Kristall. Und später bemerkte ich, dass ihm außerdem silberne, zusammengefaltete Flügel aus dem Rücken sprießen.

Als wir am Turm ankamen, sahen wir, wie sich Leute aus den winzigen Fensterchen in der Turmspitze beugten und Lampions anzündeten.

Der Platz war voller Menschen und die Peshambaner und alle anderen brachen in laute Jubelrufe aus. Selbst wir fielen mit ein. Ich wusste zwar nicht, wieso, machte aus Höflichkeit aber mit.

Blurn stellte sich zu mir. Er hatte sich sehr schick gemacht – etwas übertrieben mit dunkelroten, gemusterten Stiefeln und Ohrringen.

»Na, Claidi. Gefällt dir die Uhr?«

»Ja, schön.«

»Sie beten sie an«, sagte er.

»Wie bitte?«

»Die Peshambaner. Sie beten diese Uhr an.«

Dann war diese Uhr ein … Gott?

Aber Blurn war bereits weitergeschlendert. Und während die Uhr im weichen Licht schimmerte, leuchteten überall weitere Lämpchen auf.

Der Himmel wurde blauer, dunkler. Dämmerung. Die Sterne erschienen.

Ich sah lange Tische, auf denen die köstlichsten Speisen in den appetitlichsten Farben und Formen angerichtet waren, dazu Früchte, die ich nie zuvor gesehen hatte. In zerstoßenem Eis standen Glaskaraffen, die mit Wein, Saft oder einer Mischung von beidem gefüllt waren und wie Rubine, Topase oder Jade leuchteten.

Dagger schlüpfte durch das Gewimmel zu mir her. Sie trug ein grünes Kleid und eine peshambanische Libellenmaske.

»Das ist alles kostenlos«, raunte sie mir zu. »Wegen des Fests.«

Sie schnappte sich einen Teller, häufte Essen darauf, viel mehr, als ich sie jemals habe essen sehen, und flitzte davon.

Inzwischen begann sich die Mitte des Platzes zu leeren. Gleich würde getanzt werden. Offensichtlich fand das heutige Fest zu Ehren der Uhr auf diesem Platz statt.

Eines der Banditenmädchen, Toy, zupfte mich am Ärmel.

»Komm, Claidi.«

»Aber ich kann nicht tanzen.«

»Wir haben doch stundenlang geübt, Claidibää.«

»Das waren doch Hultatänze«, protestierte ich schwach.

»Hier werden ja auch Hultatänze gespielt. Sie spielen den Gästen zuliebe alle möglichen Lieder. Außerdem haben wir dir auch drei peshambanische Tänze beigebracht.«

»Aber wie …?«

»Du weißt doch, dass die Hulta in früheren Zeiten schon einmal hier gewesen sind.«

Ich war überzeugt, ich würde mich an keinen der Schritte mehr erinnern und mich zu Tode blamieren.

Doch als die Kapelle die Instrumente zu stimmen begann, erkannte ich einen Satz aus einer Melodie, die die Mädchen am Nachmittag im Rasthaus geträllert hatten.

Im nächsten Augenblick fand ich mich auch schon in der Mitte des Platzes in der Reihe lachender Mädchen und Frauen zwischen Tail und Toy wieder.

Als ich mir die Tänzerinnen ansah, wurde ich richtig fröhlich, weil alle strahlten, glitzerten und sich freuten. Da standen Mädchen aus Peshamba mit Katzen- oder Schmetterlingsmasken und ihre Kleider waren reich mit Glas- oder Edelsteinen verziert. Banditenmädchen, an deren Kleidern Münzen klimperten. Frauen, aus allen möglichen unbekannten Gegenden, von deren *Existenz* ich noch nicht einmal etwas geahnt hatte. Zumindest dafür sollte ich Nemian dankbar sein. (Übrigens, wo steckte er eigentlich …?)

Du wirst es dir schon gedacht haben. Ich vermied es, den Blick auf die uns gegenüberstehenden Männer zu richten. Aber bei diesem Tanz spielte es sowieso keine große Rolle. Ich erinnerte mich, dass dreimal die Partner getauscht wurden.

Trotzdem.

Die Kapelle stand an der Seite, unter einem fransengesäumten Baldachin. Saiteninstrumente und Flöten, etwas Cello-Ähnliches und zwei Schlagzeuge. Und zwei Silberbleche, die unvermittelt gegeneinander geschlagen wurden – schon begann der Tanz.

Ich schaute in das heitere und auch (schon) angeheiterte Gesicht von… Ro.

Ich war erleichtert und zugleich enttäuscht.

Keine Zeit zum Nachdenken.

Los ging's.

Ro und ich wirbelten herum, ergriffen uns an den Händen und galoppierten wie die anderen seitwärts quer über den Platz. Dann drehten wir uns, immer noch an den Händen gefasst, im Kreis.

Juchzer und laute Rufe.

Wir ließen einander los, stampften, die Hände in die Hüften gestemmt, auf den Boden und warfen stolz wie Pferde den Kopf in den Nacken. Jetzt nahmen sich alle Frauen an den Händen und trippelten, hochmütig von den Männern beobachtet, leichtfüßig auf der Stelle.

Nach einer Weile traten wir Frauen zurück und klatschten im Takt zur Musik, während die Männer paarweise spielerische Zweikämpfe ausfochten.

Ros Partner, Badger, landete einen Schlag auf Ros Nase. (Das gehörte *nicht* zum Tanz.)

Ro prustete, strauchelte und fiel gegen den Tänzer zu seiner Linken – Mehmed – sowie dessen Partner.

»Hey – du Tronker…!«

Mehmed rang um sein Gleichgewicht und trat dabei einem anderen auf den Fuß. Dieser Mann war weder Bandit noch Peshambaner. Sein Kopf war ganz kahl geschoren, bis auf einige zum Pferdeschwanz gebundene Strähnen, die ihm auf den Rücken hinabhingen. Der Kahle stieß einen wütenden Schrei aus und rammte Mehmed eine blau bemalte Faust ins Gesicht.

Im nächsten Augenblick wälzten sich bereits drei oder

vier Männer auf dem Boden und droschen fluchend aufeinander ein, während zwei Banditenfrauen und ein Mädchen, ebenfalls kahl geschoren und mit Pferdeschwanz, sie zu trennen bzw. mit einer gemein aussehenden, nietenbesetzten Schärpe zu schlagen versuchten.

Die an Prügeleien gewöhnten Hultamädchen lachten, doch einige der Peshambanerinnen sahen besorgt aus. Obwohl die Kapelle weiterspielte, tanzte nun niemand mehr.

Auf einmal spaltete sich die dicht gedrängte Menge, so wie auf der Ebene ein Windstoß das Blumenmeer geteilt hatte.

Im Laufe des vergangenen Tages waren mir noch weitere drehbare Beobachtungskristalle auf den Türmen aufgefallen, denen offenbar wirklich nichts entging. Denn jetzt kamen sechs der mechanischen Wächter vom Tor durch das Spalier aus Menschen und Orangenbäumchen anmarschiert.

»Oh-oh«, machte Tail.

Toy bemerkte düster: »Jetzt sind wir fällig.«

Entsetzt sah ich, wie zwei der mechanischen Wärter Gewehre auf uns richteten.

Dann – wie ein schmetternder Trompetenstoß – ein wütendes Brüllen. Ich erkannte die Stimme nicht, hatte sie noch nie zuvor gehört. Sie klang wie aus Messing.

Ro und Mehmed hielten wie auf Kommando inne und sprangen hastig auf, wohingegen sich der pferdeschwänzige Mann und sein Gegner weiter auf dem Boden wälzten.

Die mechanischen Wächter waren inzwischen bei uns angelangt.

Aus dem uhrwerkbetriebenen Brustkorb erklang eine strenge, blecherne Stimme: *»Stellt den Kampf ein.«*

»Hab ich doch längst«, sagte Ro verärgert.

»Halt bloß das Maul«, raunte Mehmed ihm zu, dessen Wange eine blaue Schmierspur von der Faust des Pferdeschwänzigen zierte.

Der Pferdeschwänzige und der andere rollten sofort auseinander und sprangen eilig auf die Füße. Sie starrten voller Angst auf die Wächter.

Es wurde mucksmäuschenstill, als jetzt auch die Kapelle zu spielen aufhörte.

Einer der unheimlichen Aufziehwächter forderte irgendetwas – ich glaube, es war immer der gleiche Befehl, den er mehrmals in verschiedenen Sprachen wiederholte. Er klang sehr böse. Zuletzt schnarrte er: *»Herrscht wieder Friede?«*

»Na, aber sicher. Absolut. Wir sind alle beste Freunde, stimmt's, Mehm?«

»Hmm, beste Freunde, klaro.«

Der Pferdeschwänzige und sein Gegner hatten im Verlauf der vielsprachigen Ansage bereits Entschuldigungen gemurmelt und dabei zweifellos ebenfalls ihre innige Freundschaft zu allen anderen beteuert.

In diesem Moment stellte sich ein ganz in Scharlachrot und Gold gekleideter Mann zwischen uns und die Gewehre. Er war außer Atem, weil er durch die Reihen der Tänzer gerannt war. Und weil er so laut gebrüllt hatte.

»Ein Missverständnis«, versicherte er den mit Gewehren und Äxten bewaffneten Wächterpuppen. »Ich bitte höflichst um Entschuldigung. So etwas wird nicht wieder vorkommen.«

Ich hatte das wütende Bellen, mit dem er Ro und Mehmed augenblicklich zur Vernunft gebracht hatte, wie nichts anderes es gekonnt hätte, nicht als seine Stimme erkannt.

Aber auch jetzt klang sie fremd – weich plätschernd wie Sahne.

Die Gewehre wurden gesenkt.

»Fügt in Peshamba niemandem Schaden zu«, drohte der Wächter, *»dann wird euch in Peshamba kein Schaden zugefügt.«*

Da geschah etwas Erstaunliches. Plötzlich klappten einige der an den Bäumen hängenden Orangen auf, und heraus flatterten kleine, farbenprächtige Aufziehvögel, die zu den Lampions hinaufflogen und sie umkreisten. Vielleicht war es aber auch nur ein Zufall, dass es jetzt passierte.

Trotzdem schaute ich verdutzt drein. Die Wächter hatten sich bereits umgedreht und marschierten im Gleichschritt davon.

Das pferdeschwänzige Mädchen verpasste dem pferdeschwänzigen Mann eine schallende Ohrfeige. Er duckte sich. Was sie ihm zuzischelte, konnte ich – zum Glück – nicht verstehen.

Ro und Mehmed lachten.

Die Musik begann wieder zu spielen, und der Riss in der Menge schloss sich, als hätte ihn rasch jemand zugenäht. Der Tanz ging weiter. Auch diesmal traf mich der Verlauf völlig unvorbereitet. Offenbar war jetzt der Moment gekommen, in dem die Partner getauscht wurden.

Der gut aussehende Mann in Rot hatte mich bereits bei den Händen gefasst und wirbelte mit mir durch das Spalier der Tanzenden, noch bevor ich Zeit hatte, mich besorgt zu fragen, ob ich diesmal nicht wirklich die Schrittfolge vergessen hatte.

Partnertausch

»*Ich* konnte nichts dafür.«

»Wetten, dass doch? Wo du bist, gibt es Ärger.«

Schweigend wirbelten wir im Kreis herum.

Die Männer und Frauen in den Reihen klatschten im Rhythmus der Musik.

Er lächelte.

Argul.

Er hatte noch nie sensationeller ausgesehen. Sein schwarzes Haar schimmerte wie peshambanische Seide. Rot stand ihm gut. Und dann das viele Gold …

Er umfasste meine Taille und hob mich hoch in die Luft – eine Figur, die ich tatsächlich nicht kannte –, und mir blieb nichts anderes übrig, als auf sein edles, lächelndes Gesicht hinabzustarren. Wie weiß die Zähne in seinem gebräunten Gesicht blitzten …

Er sieht heute Abend glücklich aus, dachte ich. *Lebendig.*

Ich musste lachen. Den Kopf in den Nacken gelegt, lachte ich in den wirbelnden sternenübersäten Himmel hoch.

Als er mich wieder absetzte, hielt er mich noch einen Moment fest, bis ich mein Gleichgewicht wiedergefunden hatte, doch dabei tanzten wir ohne Unterbrechung weiter.

Inzwischen spielten sie einen anderen Tanz.

Einen der peshambanischen Tänze, den mir die Mädchen gezeigt hatten. Er bestand aus einer einfachen Schrittfolge, bei der man sich an den Händen fasst, gemessen dahingleitet und sich dabei die ganze Zeit in die Augen sieht.

Es war der Tanz, vor dem ich mich am meisten gefürchtet hatte, weil ich glaubte, als Mauerblümchen sitzen zu bleiben.

»Ich will aber doch gar keinen Ärger«, sagte ich.

»Tja, Claidi«, erwiderte Argul. »Dagegen kannst du nichts machen. Versuch es gar nicht erst. So ist das eben bei Käfern wie dir.« Ich runzelte die Stirn, aber eigentlich war ich gar nicht wütend. Seine Beleidigungen fühlten sich nicht wie Beleidigungen an. »Bleib, wie du bist«, sagte er. »Du bist wunderbar.«

Sie sangen ein Lied zur Musik. Es ging irgendwie um den Mond, der sich hinter einer Wolke versteckt. Und darum, dass man sich in der Wolke des Mondes verlieren kann.

Der Himmel war jetzt dunkel und hinter Arguls Kopf leuchteten Sterne und Lämpchen und die mechanischen Vögel flatterten.

Um uns herum waren alle ausgelassen und zugleich sehr weit weg. Die Stimmung der Nacht wogte wie rosarote Vorhänge im Hintergrund.

Ich *kenne* diesen Mann, dachte ich. Ich kenne ihn so gut wie mich selbst. Aber ich kannte ihn nicht. Ich kenne mich selbst nicht einmal.

Wir ließen keinen Tanz aus.

Einige Male wurden wir getrennt, doch wir fanden immer wieder zueinander. Er hielt mich fest. Ich hatte das Gefühl, nichts falsch machen zu können.

So hatte ich mich noch nie gefühlt.

Vielleicht werde ich es auch nie mehr erleben.

Um Mitternacht – und Mitternacht kam so schnell – ging eine Verwandlung mit der Uhr vor.

Fast ohne Vorwarnung. Die Kapelle hörte auf zu spielen und alle auf dem Platz taten es den Einheimischen nach und sahen zur Uhr hinauf.

Plötzlich ertönte ein knarzendes Geräusch, so als würde ein riesiger Schlüssel in einem Schloss gedreht. Und dann wehte von oben aus dem weißen Turm ein gedämpftes melodisches Klimpern zu uns herab.

Die drei vor der Uhr stehenden Figuren erwachten zum Leben.

Das Mädchen drehte sich tanzend im Kreis, wie ich es getan hatte. Der Mann verbeugte sich und streckte die Hand aus, um das Pferd mit dem Kristallhorn zu streicheln, das in diesem Augenblick die Flügel spreizte.

Dann glitten sie aus unserem Blickfeld hinter die Uhr und von der anderen Seite her tauchten andere Figuren auf. Ein greiser, auf einen Stock gestützter Herr und eine alte Dame mit hohem Kopfschmuck. Zwischen ihnen stand ein riesiges Ungeheuer. Es hatte den Körper eines Löwen, den Kopf eines Vogels und sein Schwanz bestand aus drei ineinander verknoteten Schlangen.

Der Greis hob majestätisch grüßend seinen Gehstock und die alte Dame winkte mit zarten Händen. Das Ungeheuer sperrte das Maul auf, aus dem Flammen schossen, sprühende gelbe Funken.

Viele Zuschauer in der unten versammelten Menge schrien vor Überraschung laut auf. Doch die Peshambaner seufzten nur entzückt und sahen mit leuchtenden Augen zur Uhr auf, die ihr Gott ist.

Ich flüsterte Argul zu: »Wunderschön. Aber beten sie diese Uhr wirklich an?«

»Ja«, antwortete er.

»Weshalb?«

»Weil sie die Uhr schön finden und weil Gott schön ist.«

Seine Antwort klang in diesem Moment kein bisschen verwirrend.

»Ah, verstehe«, sagte ich und glaubte, wirklich zu verstehen.

»Außerdem«, fuhr Argul fort, »sagen sie, dass man der Uhr nur ein wenig Aufmerksamkeit widmen muss, damit sie funktioniert. Und mit der Religion ist es dasselbe.«

»Religion …?«

»Das ist das, was man anbetet, woran man glaubt. Man muss sich nur ein klein wenig Mühe geben, um das Vollkommene vollkommen zu erhalten.«

Die Musik erstarb und sofort erstarrten die drei neuen Figuren in ihrer Haltung. Diese drei blicken von Mitternacht bis zum Sonnenaufgang auf die Stadt. Danach wechseln sie wieder, dann aber ohne Musik.

Nachdem die Uhr ihr Schauspiel und die Peshambaner ihr Gebet beendet hatten (offenbar betet man nicht nur, wenn man wütend oder verzweifelt ist, sondern manchmal auch aus purem Glück), brachte mir Argul einen Kelch mit grünem Wein.

Plötzlich begriff ich, was ich bei unserer ersten Begegnung als so schrecklich und Furcht erregend empfunden hatte – er ist so stark, so beeindruckend.

Später schlenderten wir in schweigendem Einverständnis über den Platz und an der Uhr vorbei durch die Stadt.

Die Straßen waren von Bäumen überschattet und kühl. Es duftete nach Blumen, nach parfümiertem Sand und nach Dunkelheit.

Nach einer Weile gelangten wir zu einem Park. Pfirsichfarbene Lampions hingen in den Zweigen.

Wir setzten uns auf eine marmorne Bank, die wie ein Busch gestaltet war und unter einem großen Busch stand, der wiederum so geschnitten und getrimmt war, dass er wie ein Sessel aussah.

»Schau doch!«, rief ich. »Noch so ein mechanisches Spielzeug.«

Es war ein bizarr aussehender Vogel, der im Schein der Lampen blau zu glühen schien. Auf einmal hob er seinen Schwanz, den er hinter sich herzog, und spreizte ihn wie einen Fächer aus grünen, türkisfarbenen, violetten und goldenen …

»Nicht doch, Claidi. Das ist ein Pfau.«

»Du meinst, er ist echt?«

»Ja. Genauso echt wie du.«

»Ich habe heute Nacht nicht das Gefühl, dass um mich herum überhaupt etwas echt ist. Ich wusste nicht, dass es noch Städte gibt.«

»Mir hat meine Mutter von Peshamba erzählt«, sagte er, »als ich ein Kind war.«

»Wirklich?«

»Auf dem Zifferblatt der Uhr steht ein Satz eingraviert. Man kann ihn aber nur lesen, wenn man oben auf dem Turm steht. *Für alle Dinge bleibt genügend Zeit.*«

»Stimmt das denn?«

»Hoffentlich.«

Prüfend fragte ich: »Ich habe deine Mutter noch nicht kennen gelernt, oder?«

»Nein. Sie ist vor acht Jahren gestorben, als ich zehn war.«

Er tat mir unendlich Leid. Also stimmte es. Und ich musste an Abendröte denken, an meine eigene verschollene Mutter.

»Das ist furchtbar traurig.«

»Traurig für alle, die sie zurückließ. Sie wusste so viel. Vor allem über Kräuter und chemische Wirkstoffe. Manche sagen, sie sei eine Hexe gewesen. Doch das war sie nicht. Sie war nur eine sehr begabte Naturwissenschaftlerin. Aber sie hatte auch das zweite Gesicht.«

»Das was?«

»Sie konnte mehr sehen als andere. Manchmal sah sie in die Zukunft. Von ihr habe ich …« Er griff sich an den Hals und hielt dann inne. »Einen Glücksbringer, wie man jetzt wohl dazu sagen würde. Aber im Grunde ist es ein wissenschaftliches Instrument. Es liefert einem bestimmte Informationen.«

»Der ist mir schon aufgefallen«, sagte ich. »Er ist aus Glas geformt, oder?«

»Nein. Er sieht bloß so aus.«

»Du hast drauf geschaut …« Ich zögerte. »Damals … als ich dachte … dass du uns ausrauben willst.«

»Wir sind keine Banditen, Claidi«, sagte er. »Wir werden bloß so genannt. Ich will nicht behaupten, dass wir noch nie etwas gestohlen hätten, aber dann haben wir es nur getan, um unser Volk zu beschützen, und wir haben nie etwas von Leuten genommen, die selbst nicht genug hatten. Genauso wenig kämpfen oder töten wir ohne Grund. Nur wenn wir keine andere Wahl haben. Glaubst du mir das?«

»Ja.«

Er sah mich eindringlich an. Der Mond war spät aufgegangen und stand jetzt hoch am Himmel. Arguls dunkle

Augen erschienen mir noch ausdrucksvoller. Oder der Mond… hatte sich hinter einer Wolke versteckt, vielleicht.

»Das erste Mal bin ich dir in dem vertrockneten, alten Park in der Stadt der Streitwagen begegnet. Du saßt dort mit ihm – deinem vornehmen Prinzenfreund.«

»Nemian.«

»Genau mit dem. Ja.«

»Ich habe dich gar nicht bemerkt…«

»Nein. Es waren auch nur ich und Blurn dort. Obwohl wir mit den Schaflern Handel treiben, trauen wir ihnen nicht so ganz über den Weg. Daher wollten wir die Stadt vorher auskundschaften, bevor wir die anderen nachkommen ließen. Wir sahen… ein bisschen anders aus.«

»Und ich bin dir aufgefallen?«

»Ja.«

Mehr sagte er nicht, deshalb fragte ich: »Aber du wusstest noch nicht, dass sie mich an die Federer verkaufen würden?«

»Das wurde mir erst klar, als ihr schon verschwunden wart. Und dann sind wir euch nachgeritten.«

»Weshalb?«

»Was glaubst du denn?«

Bescheiden sagte ich: »Weil ihr öfter Leuten helft.«

Natürlich hätte ich ihn gerne sagen gehört: »Ich konnte nicht anders, weil du so faszinierend bist, Claidi.«

Das sagte er nicht. Er sah mich durchdringend, mit brennenden Augen an, und zwischen den Ästen hinter seinem Kopf stand fahl der Mond am Himmel.

Was er sagte, war Folgendes: »Weshalb bleibst du nicht bei uns? Du kommst bestens mit Sirree zurecht, bist eine geborene Reiterin. Und die Hultakleidung steht dir ausnehmend gut. Wir führen ein schönes Leben. Wir kümmern uns umeinander und auch um andere, wenn wir können. Wenn du bei uns bleibst, brauchst du dich vor nichts zu fürchten. Weder vor Hunger oder Durst noch vor Gefahren. Wir ziehen durchs Land und kommen überall herum. Wusstest du, dass es riesige Seen gibt, Claidi? Meilenweit nichts als Wasser und Himmel. Und Tiere, die so merkwürdig aussehen, dass du vor Schreck laut aufschreien würdest. Schließ dich der Familie an, Claidi. Bleib bei uns.«

Bumm, bumm, bumm – mir klopfte das Herz bis zum Hals.

Ich brachte kein Wort heraus.

Ich dachte an Nemian und an das Haus. Ich dachte daran, wem ich vertraut hatte und nicht hätte vertrauen dürfen.

»Ich ...«, sagte ich.

Der Mond färbte sich blau und verblasste blinzelnd wie ein Auge, das sich langsam schließt. Verwirrt sah ich zu ihm auf und plötzlich schlug eine Welle eisiger Kälte über mir, über der Welt, zusammen.

Etwas, das sich wie nasses Silber anfühlte, spritzte mir ins Gesicht.

Argul stand auf und zog mich hoch.

»Was ist das?«

»*Schnee.* Mistwetter.«

»Was ist ...?«

»Das erkläre ich dir später. Jetzt komm schnell mit.«

Im Park lief alles durcheinander, kreischte und schrie. Man hörte auch wildes Gelächter. So viele Paare, die alles um sich herum vergessen hatten, und dann das.

Weiß wirbelte es vom Himmel.

Bald rannten wir wie durch einen dichten Vorhang. Wie Daunen. Als hätte jemand mein verhasstes Opfergewand gerupft und jetzt flogen mir die Federn ins Gesicht.

Als wir den Platz erreichten, sahen wir eifrig hin und her eilende Gestalten – Leute trugen die Orangenbäume aus der Kälte nach drinnen.

Ich hätte gerne wie sie die Nacht nach drinnen getragen.

Doch die Nacht flog davon. Dies war ein anderer Tanz. Er war zu schnell.

Wir rannten bis zum Rasthaus. Hand in Hand. Ich glaube, wir liefen durch Straßen.

Im Rasthaus herrschte der Ausnahmezustand. Alles war hell erleuchtet. Aus sämtlichen Fenstern strahlte Licht. Schreie und Getrappel. Alles war in Aufruhr.

»Claidi – ich warte morgen hier auf dich. Eine Stunde nach Sonnenaufgang. Unter diesem Baum. Ja?«

»Ja – ja ...«

Damit verschwand Argul zwischen den tanzenden Schneeflocken.

Am nächsten Morgen war der Baum, unter dem wir uns treffen wollten und der ausgesehen hatte wie eine grüne Kerzenflamme, *weiß*. Ein weißer Ball. Ein Ball aus Schnee.

So können sich die Dinge verändern. Über Nacht.

Aber sie hatten sich schon verändert, bevor ich am Morgen den Baum sah.

Als ich am Abend die Treppe zum Schlafsaal der Frauen hinaufging, fand ich ihn leer vor.

Ich war traurig, dass Argul nicht hatte bleiben können. Aber ich wusste, er musste sich um alles kümmern und auch nach den Pferden sehen. Blurn hatte sicher genauso wenig Zeit und seiner Freundin ging es wahrscheinlich wie mir. Waren Argul und ich etwa …?

Ich wusste nicht, was ich denken sollte.

Also stellte ich mich ans Fenster und sah zu, wie der Schnee auf Peshamba niederrieselte, alles weiß zudeckte und alles veränderte. Es wurde still. Nie zuvor hatte ich solch eine Stille gehört.

Im Garten hatte es nie geschneit. Vielleicht schneite es in unserer Gegend nicht, oder es lag daran, dass sie den Garten künstlich beheizten.

Ehrlich gesagt, ich war glücklich. Und ängstlich. Aber ich fragte mich auch, ob ich mir nicht Dinge eingebildet hatte, die gar nicht da waren. Der Blick, mit dem mich Argul bedacht hatte. Er hatte nicht ausdrücklich davon gesprochen, dass wir jetzt zusammen seien. Er hatte mir lediglich vorgeschlagen, bei den Hulta zu bleiben.

Und das wollte ich. Wirklich? Doch. Andererseits war ich mit Nemian dem einzigen Leben entflohen, das ich bis dahin gekannt hatte. Und ich hatte Nemian geliebt. Und jetzt war ich bereit, ein zweites Mal fortzulaufen, wieder in eine andere Richtung. War das vernünftiger als beim ersten Mal? Oder würde mein Leben von nun an etwa immer so verlaufen, von einem Ort zum nächsten, von einem Menschen zum anderen? Aufregend – vielleicht. Aber auch erschöpfend und sinnlos.

Der Schnee rieselte und meine Gedanken schwammen im Kreis und dann klopfte es an der Tür.

Als niemand hereinkam, ging ich öffnen.

Ich wich zurück – richtig erschrocken. Es war Nemian.

Er hatte neue Kleider gekauft oder gefunden. Schwarz

und Gold. Er sah atemberaubend aus. Es tat fast weh, ihn anzusehen – so schön war er. Er war auch sehr blass.

»Claidi – darf ich hereinkommen? Oder kommst du einen Moment nach draußen?«

»Es ist keiner hier«, sagte ich unvorsichtigerweise.

Ich ließ ihn ins Zimmer.

Er sah sich um. Überall Banditen-, nein, Hultafrauensachen.

Nemian blickte wieder zu mir her.

»Hast du dich gut amüsiert?«, fragte ich säuerlich.

»Eigentlich nicht. Ich habe nach dir gesucht.«

»Ich war ganz in der Nähe.«

»Kann sein.« Er schwieg einen Moment. »Hör zu, Claidi, glaub nicht, ich hätte mich heute faul herumgetrieben. Ich habe nach Balloneuren gesucht, weil ich wusste, dass die Peshambaner früher auch mit Ballons herumgereist sind. Allerdings tun sie das inzwischen nicht mehr.«

Ich nickte. Zwar bemühte ich mich um einen höflichen, unbeteiligten Blick, aber die Luft um Nemian schien zu knistern, solch eiskalte Entschlossenheit und Verzweiflung strahlte er aus.

»Claidi, ich weiß, wie du über mich denkst.«

»Ach ja?«

»Du hältst mich für ein Stinktier.«

»Was ist das?«

»Claidi, fang nicht wieder so an.« (Ich war wütend – ich wusste wirklich nicht, was ein Stinktier ist.)

»Claidi, dieses Mädchen ...«

»Mhm? Welches Mädchen?«

»Du weißt genau, welches Mädchen. Es tut mir Leid. Es ... es ist einfach passiert.«

»Na, das ist doch schön für euch«, sagte ich und rang mir ein anerkennendes Lächeln ab.

Daraufhin versetzte er mich wirklich in Erstaunen.

Er warf sich vor mir auf die Knie und umklammerte meine Hände.

»Claidi, ich bitte dich, spiel nicht mit mir. Ich weiß, dass ich es nicht anders verdiene. Aber das alles ist so neu für mich. Ich war verwirrt. Ich habe nicht richtig nachgedacht… und jetzt – o Claidi, sag, habe ich dich verloren?«

Er ist wirklich ein schöner Mann. Das weiße Licht des Schnees brannte auf seinem Haar. Ich zitterte, ohne zu wissen, weshalb.

»Wie, mich verloren?«, wiederholte ich harmlos. »Wie meinst du das?«

»Du bleibst doch bei mir, oder? Du reist mit mir nach Hause in die Stadt am Breitfluss? Ich muss wissen, dass du mitkommst – o Claidi, Claidi. Wenn ich dich verliere, verliere ich alles. Bitte vergib mir meine grenzenlose Dummheit. Bleib bei mir. Komm mit mir.«

Ich schluckte trocken. Und rang um eine Antwort. Darf man in so einem Fall einfach Nein sagen?

Er schwitzte. Seine Augen schwammen in *Tränen.*

Er drückte meine Hände so fest, als wolle er sie auswringen, und ließ sie erst los, als ich vor Schmerz aufschrie.

»Es ist mir gelungen, Leute zu finden, die uns mitnehmen«, fuhr er fort. »Nicht in einem Ballon. Und es wird nicht ganz ungefährlich. Aber ich passe auf dich auf. Das verspreche ich dir, Claidi.«

»Äh … na ja …«, stammelte ich unentschlossen. Ich habe nie behauptet, besonders intelligent zu sein.

»Weißt du, Claidi, zu Hause wartet meine Großmutter,

die sehr, sehr alt ist. So alt wie Jizania. Ich muss zu ihr zurück. Und natürlich erwarten mich auch Verpflichtungen. Ich bin Prinz. Ich kann nicht eigenmächtig über mein Leben verfügen. Aber das kennst du ja selbst.« (Er hat schon wieder vergessen, dachte ich, dass ich womöglich gar nicht königlicher Herkunft bin.) »Aber mein Leben – das ist mein heiliger Ernst – ist nichts wert, wenn du nicht mit mir kommst. Ich *brauche* dich. Ach, könntest du mich nur verstehen!«

Dann sprang er auf und ließ meine Hände mit schneekalter Würde fallen.

»Selbstverständlich liegt die Entscheidung ganz bei dir. Und ich bin mir bewusst, dass ich keinerlei Gnade verdiene. Ich habe mich wie ein Trottel benommen. Willst du, dass ich gehe?«

In dem darauf folgenden Schweigen hörten wir im Gang draußen leises Gekicher und die Schritte der gerade zurückkehrenden Hultafrauen.

Zur vereinbarten Zeit wartete ich im Schnee unter der weißen Kugel, die einmal ein Baum gewesen war.

Kinder tollten herum und bewarfen sich mit Schnee. Die Männer und Frauen mit den Pferdeschwänzen jagten auf ihren Zebras auf und ab. Aus Schornsteinen, die mir vorher nicht aufgefallen waren, dampfte blauer Rauch, es duftete nach frisch gebackenem Brot, und in der Luft lag zartes Glockengeläut.

Argul kam über die weiße Fläche auf mich zu. Es war so schön, ihm einfach nur entgegenzusehen. Ich erlaubte mir zu träumen, wie es wäre, wenn … Nur einen Moment lang.

Und als er vor mir stand und mein Gesicht sah, worauf

sich das seine schlagartig veränderte, verdüsterte, verschloss, sagte ich: »Es tut mir Leid, Argul. Aber ich kann nicht bleiben.« Er stand einfach da. Stumm. »Ich dachte ja auch erst, ich könnte, und ich wollte auch, aber jetzt... die Lage scheint ziemlich ernst. Ich muss weiter.«

»Mit ihm«, sagte Argul. Ich sah den Sturm, der hinter seinen Augen wütete. Er schüttelte den Kopf. Der Sturm war verschwunden.

»Du weißt ja«, versuchte ich unbeholfen zu erklären, »dass wir schon ziemlich lange zusammen unterwegs sind. Nemian und ich.«

Argul sagte: »Dieser Nemian ist ein Okk.«

Ich blinzelte. »Du magst ihn nicht.«

»Ach, was, ich liebe ihn.« Arguls Augen blickten fest in meine. Ich musste den Blick senken. Dann sagte er: »Ach nein, entschuldige, du bist es ja, die ihn liebt.«

Er drehte sich um, stapfte mit großen Schritten durch den Schnee davon, und dabei kullerte etwas aus seiner Hand zu Boden.

Erst als eines der Kinder hinrannte und es aufhob, erkannte ich am Funkeln, dass es ein Ring mit einem geschliffenen Stein war. War er für mich gewesen? Bestimmt... nicht.

Die Kinder stürzten ihm hinterher. Es waren peshambanische, sehr ehrliche Kinder, und ich glaube, es war ein Diamant.

In den Mondsümpfen

Es ist einige Zeit her, seit ich das letzte Mal in das Buch geschrieben habe. Wir befinden uns zurzeit in einem Ort namens Flussschlund, wo wir ein oder zwei Tage bleiben müssen, weil wir auf irgendetwas warten. Ich habe vergessen, weshalb oder worauf.

Außerdem war mein Tintenstift leer. (Ich habe schon einen ganzen Stift leer geschrieben.) Da ich vergessen hatte, Tail um einen neuen zu bitten, hatte ich längere Zeit nichts zu schreiben.

Er hat mir eine Art Schreibwerkzeug überlassen, sein eigenes, nehme ich an, aber es schreibt längst nicht so schön wie der alte Stift, was das Schreiben irgendwie anstrengender macht.

Oder sind das bloß Ausreden?

Genau, Claidi, höre ich dich sagen, gut erkannt.

Als er, also Nemian, sagte: »Dann schreibst du wohl immer noch in dein Buch?«, hatte ich Angst, er würde es vielleicht lesen wollen. Aber es scheint ihn nicht zu interessieren. Ich glaube, er hält es für puren Zeitvertreib. Er bezeichnete das Buch als »Tagebuch« und sagte, viele Damen aus seiner Stadt würden eines führen. Nun, wenn es in Mode ist, findet er wohl nichts Schlimmes dabei. Vielleicht trägt es dazu bei, ihn von meiner königlichen Herkunft zu überzeugen.

Er ist mir gegenüber sehr aufmerksam. Wirkt gleichzeitig aber… nervös? Vielleicht weil er etwas von mir will. Allerdings rührt er mich nicht an. Bisher.

Er tut mir Leid. Ich bemühe mich, freundlich und fröhlich zu sein, um ihm zu zeigen, dass es mir gut geht und dass ich ihn mag. Und ich gebe mir auch Mühe, ihn zu mögen.

Jedenfalls mag ich ihn nicht *nicht.*

Aber ich kann ihm nicht mehr dieselben Gefühle entgegenbringen wie früher. Ich wünschte, ich könnte.

Nur, warum bin ich dann von Argul und den Hulta weggegangen? Eine schwierige Frage. Ich wäre ja gern bei der *Ban* geblieben – der Familie. Meine Entscheidung hatte mit meinen Gefühlen zu tun. Damit, dass ich so wankelmütig bin.

Ich hoffe, du glaubst mir, dass ich mich furchtbar fühlte. Wie eine Verräterin. Aber ich will einfach nicht von einem Mann zum anderen flattern und nie wissen, in wen ich mich als Nächstes verliebe. Wie ein verwöhntes Kleinkind.

Die Leute im Haus waren so. Erst waren sie mit X befreundet, dann mit Y, danach mit Z. Und dann zankten sie sich mit Z und kehrten zu X zurück. Widerlich.

Ich bin anders. Hoffe ich jedenfalls. Und ich habe mich nun einmal für Nemian entschieden. Zugegeben, er hat sich schlecht benommen, aber wer bin ich schon? Bloß Claidi. Nemian hat sich eben von einer anderen ablenken lassen. Das kann man ihm nicht verübeln, denke ich.

Ich muss bei ihm bleiben. Immerhin war er der Mann, für den ich mich als Erstes entschieden habe. Wenn ich mich nicht einmal mehr auf meine eigenen Gefühle verlassen kann, auf mich selbst…

Ja, ich wollte vor allem beweisen, dass ich treu sein kann. Mir selbst beweisen, dass ich keine alberne, oberflächliche, billige Zicke bin.

Deshalb habe ich mich so entschieden.

Die Hulta waren komisch zu mir. Nicht gemein – eher beleidigt und kurz angebunden. Tail verabschiedete sich als Einzige richtig. Dagger baute sich wütend vor mir auf. Sie sah entsetzlich böse aus. »Warum ausgerechnet *der*?«, fragte sie.

Ich versuchte, es ihr zu erklären. Die Sache mit der Treue. Mit Nemian. Sie schnaubte wie ein Pferd. Sagte: »Du spinnst.« Und noch ein paar Ausdrücke, von denen es mich nicht hätte wundern müssen, dass sie sie kennt.

Wirkt meine Entscheidung denn unvernünftig? Ich selbst halte sie nämlich für sehr vernünftig. Oder etwa nicht? Doch. Ja. Bald – wenn wir in seiner Stadt sind – werde ich froh darüber sein.

Er klang so entschlossen, als er sagte, dass er mich braucht.

Argul braucht mich nicht. (Der Ring war sicher nicht für mich bestimmt.) Er hat ja die Hulta, die ihn lieben und ihm treu ergeben sind. Und er kannte sogar seine Mutter.

Nemian und ich … Ich werde auf jeden Fall mein Bestes geben. Bitte, Gott, selbst wenn du eine Uhr bist, hilf mir, alles möglichst richtig zu machen.

Unsere Abreise aus Peshamba und der erste Teil der Fahrt verliefen ziemlich normal. Abgesehen vom Schnee.

Die Ebene rings um die Stadt war weiß wie die unbeschriebenen Seiten eines Buches. Ich fragte mich, ob die Blumen unter all dem Schnee wohl überleben. Wahrscheinlich schon, denn es hat hier bestimmt auch vorher schon einmal geschneit. (Der See war übrigens hart gefroren und die Leute rutschten mit »Schlittschuhen« darauf herum.)

Nemian gab mir einen großen Pelzmantel. Er sagte, das Material stamme nicht von einem Tier, sondern sei ein von den Peshambanern hergestelltes, besonderes, pelzähnliches Gewebe. Er hält warm.

Wir reisten wieder mit einem Streitwagen, einem von insgesamt dreien, die diesmal von Eseln gezogen wurden. Sie trugen rote Decken und waren mit Glöckchen behängt.

Bimmel, bimmel.

Als ich zurücksah, schwebte am fahlgrau-hellen Himmel über der Stadt eine blaue Dunstglocke von den rauchenden Schornsteinen.

Wir hatten Flaschen mit heißem Tee und Glühwein dabei. Aber die Getränke wurden bald kalt und schmeckten nicht mehr so gut.

Wir fuhren mehrere Tage übers flache Land.

Einmal sahen wir in der Ferne riesige weiße Wesen, wie Wolken, die langsam über die Ebene trieben. Nemian bezeichnete sie als Elefanten. Wegen der Kälte würde ihnen ein dickes, wolliges Fell wachsen, wie Schafen, und sie hätten Nasen, die so lang wären wie ein zweiter Schwanz. Das hört sich reichlich abwegig an und vielleicht hat er es sich nur zu meiner Unterhaltung ausgedacht. Wir waren zu weit weg, um Genaueres zu erkennen.

Nachts wurden Zelte aufgeschlagen. Ich bekam eines für mich ganz allein. Geheizt wurde mit eisernen Becken, in denen Kohle glühte.

Im Zelt habe ich ein bisschen in meinem Buch geblättert und gelesen.

Ich habe das Gefühl, nicht mehr derselbe Mensch zu sein wie damals, als ich anfing, darin zu schreiben. Verstehst du, was ich meine? Gottverdammt – wer bin ich?

Irgendwann, obwohl es nicht so lange gedauert haben kann, begann sich das Klima endlich zu ändern und mit ihm die Landschaft. Ich sah enorm hohe Berge in der Ferne zu unserer Linken auftauchen. Gebirge. Fast gleichzeitig wurde es schlagartig wärmer.

Der Himmel schien aufzuplatzen, die Bruchstellen zeigten sich als blaue Risse. Zum Schluss war er ganz blau mit weißen Sprüngen.

Es wuchsen auch wieder Gräser, sehr hohe, die zum Teil unsere Wagen überragten. (Die Esel fraßen sich hindurch und kauten im Gehen.) Auf einer alten Holperpiste fuhren wir zu einem großen Dorf bzw. einer kleinen Stadt.

Normalerweise hätte ich mich dafür interessiert, aber diesmal nicht sehr. Was bin ich für eine Langweilerin. Da erlebe ich das größte Abenteuer und weiß es gar nicht zu schätzen.

Mal überlegen. Die Leute mussten das Gras auf ihren Feldern immer wieder mähen, damit es das Getreide nicht überwucherte, und ihre Häuser waren kreisrund. Es standen dort so komische Bäume herum, deren Äste ringsum bis zur Erde herabhingen und eine Art Zelt bildeten. Darin hockten fette rosa und schwarze Vögel, die geräuschvoll quakten.

Außerdem gab es einen Fluss, der weiß schäumend dahinschoss.

Die anderen Reisenden blieben in der Dorfstadt. Nur Nemian und ich bestiegen ein von einem Bootskutscher (so heißen sie nicht, aber wie dann?) gelenktes Boot und fuhren flussabwärts. Zuvor verbrachten wir allerdings zwei Nächte in der Dorfstadt. Nemian zog diesmal nicht gleich mit neuen Bekannten los, obwohl er auch hier die Sprache der Einheimischen beherrschte. (Sie nahmen auch Geld im Tausch gegen Dinge. Er bezahlte sie.)

Er besprach die weitere Reiseroute mit mir. Wir würden durch ein Sumpfgebiet kommen, sagte er. Die Leute, die dort lebten, wären etwas gewöhnungsbedürftig, könnten uns aber zu seinem Fluss bringen.

Mich packte wieder dieses schreckliche Gefühl, das schon auf der Ebene begonnen hat und jetzt immer schlimmer wird. Es ist eine Mischung aus Angst und Schmerz. Später sagte Nemian, der sich in letzter Zeit öfter mit mir unterhält, er habe »Heimweh« nach seiner Stadt. Und da wurde mir klar, dass ich ebenfalls Heimweh hatte. Aber nicht nach einem bestimmten Ort.

Er war jeden Tag da gewesen – Argul. Ich konnte immer darauf zählen, ihm irgendwo zu begegnen. Wenn er an den Wagen entlangritt, wenn er die Vorräte überprüfte oder abends am Lagerfeuer saß. (Wir sprachen nie viel miteinander. Ich nahm an, dass er mich gar nicht wahrnahm.) Ich beobachtete ihn, wenn er sich mit seinen Männern sportliche Ringkämpfe lieferte oder Karten spielte – er kannte gute Kartentricks –, und zaubern konnte er auch. In der blumigen Ebene zauberte er einmal einen Spatz aus Tails Ohr. Ich rätsle nach wie vor, wie er das gemacht hat – es war ein richtiger, lebendiger Spatz, der davonflatterte. Und wenn die Hulta abends der Reihe nach Lieder zum Besten gaben, sang er manchmal mit. Nicht sehr gut übrigens. Er war immer da und mit irgendetwas beschäftigt. Einfach nur da.

(Ich wollte ausrechnen, wie viel Zeit seit unserer Flucht aus dem Haus bis zur Ankunft hier in diesem Haus mit Blick auf den Fluss vergangen ist. Aber ich komme dabei immer wieder durcheinander. Es scheint mir eine Ewigkeit zu sein.)

Die Sonne ging gerade unter, als wir die Sümpfe erreichten. Im Laufe der Fahrt war der Strom mit seinen Inseln aus hohem Riedgras zunehmend breiter und träger geworden, bis er schließlich im Schilf erstickte.

Der Bootskutscher (ich weiß immer noch nicht, wie der Beruf richtig heißt) steuerte unser Boot mittels einer hölzernen Stange geschickt hindurch. Die untergehende Sonne glitzerte kupferrot im Wasser, auf dem sich streifig die langen Schatten des Schilfs abzeichneten.

Nachdem wir eine Weile so durch diese leicht melancholische Landschaft hindurchgeglitten waren, tauchte auf einmal ein Gebäude auf, das auch nicht gerade aufmunternd wirkte. Schwarzer Stein, Pfeiler und ein ungewöhnlich spitzes Dach.

Laut Nemian handelt es sich um einen Schrein. Aha. Schreine habe ich ja schon gesehen. (?) Dieser hier ist zu Ehren des Sumpfgottes errichtet worden.

Als wir anlegten und vorsichtig die Ufertreppe hochstiegen – die Stufen waren schlüpfrig und sehr ausgetreten –, entdeckten wir oben eine schwarze Scheibe aus Stein mit dem Bildnis des Gottes darauf. Im ersten Moment dachte ich, es wäre wieder eine Uhr, aber es war keine. Die Scheibe stellt den Mond dar, den sie anbeten, weil sie glauben, der Sumpf gehörte ihm.

»Aber wieso?«, fragte ich. Ich stellte ununterbrochen Fragen. Im Ernst, ich glaube, wenn ich damit einmal aufhöre, bin ich tot.

»Weil der Sumpf genauso wie der dahinter liegende Breitfluss den Gezeiten unterliegt.«

»Den Gezeiten? Du meinst, wie das Meer?«

Sieht so aus. Unter dem Einfluss der Mondkräfte läuft das Wasser ab und steigt mit der Flut wieder an. Deshalb gilt der Mond hier im Sumpf als Gott.

Als wir später in der Haupthalle des Schreins saßen, einem außerordentlich trostlosen, altertümlichen Raum, in dem wir trostloses Brot und bitteren, krümeligen (trostlosen) Käse aßen, sprach ich Nemian auf die ungeklärte Gott-Götter-Frage an.

»Gott ist in allem«, erklärte er mir. »Und damit sind Götter, also die einzelnen Götter, letztendlich nur andere Erscheinungsformen von Gott. Genau wie wir selbst.«

»Wir sind ein *Teil* von Gott?« Mir fielen fast die Augen aus dem Kopf. Allmählich bekam ich mächtigen Respekt vor diesem (unbekannten) und höchst erstaunlichen Wesen.

»Gott hat uns das Leben geschenkt«, sagte Nemian schlicht.

Er sah so besonders aus, so ruhig und so traurig, und während er mir Gott erklärte oder zu erklären versuchte (ich vermute nämlich, dass sich Gott eigentlich nicht erklären lässt), sah ich plötzlich Argul vor mir. Nur für den Bruchteil eines Moments. Die beiden sind ganz verschieden. Schon die Stimme und der Akzent. Aber trotzdem.

Ich legte meine Hand auf seine. Ich war die ganze Zeit nicht gerade nett zu ihm gewesen. Nicht zärtlich oder geschmeichelt, weil er sich vor mir auf die Knie geworfen hatte. (Zumindest auf ein Knie.)

Er sah mich an. Und er lächelte. Er wirkte auf einmal sehr zufrieden, beglückt, begeistert.

Und ich fühlte mich nun doch geschmeichelt.

Vielleicht hatte ich die richtige Entscheidung getroffen?

»Claidi, darf ich dich um einen Gefallen bitten?«

Vorsichtig, wie zuvor auf den glitschigen Steinen, nickte ich.

»Ich würde dich gerne wieder mit deinem vollständigen Namen ansprechen.«

»Oh.«

»Zu Hause, in meiner Stadt, muss ich das sowieso. Sie erwarten es von mir. In der Öffentlichkeit. Dir wird die Achtung zuteil werden, die einer Person von Rang und entscheidender Bedeutung zusteht. *Claidi* klingt da doch ein wenig... nicht wirklich hoheitsvoll, weißt du?«

»Aha.«

»Sei mir nicht böse, Claidi – Claidissa, wenn ich darf?«

»In Ordnung. Aber ich muss mich erst noch daran gewöhnen.«

Das bin nicht ich. Meine Verwirrung wächst. Wer ist diese Frau – diese Claidissa?

Wir blieben im Schrein, bis der Mond aufging und uns einer der schattenhaften Männer mitteilte, die Reiter seien eingetroffen.

Als wir nach draußen gingen, bot sich mir unterhalb der Treppe folgendes Bild: Über dem dunkel daliegenden Sumpf hob sich schwarz der Himmel ab und darin stand der Mond. Unten im Schilf lagen riesenhafte Echsen, tiefrot wie die Rosen im Garten. Einige suhlten sich im Wasser wie die Nilpferde im Gartenfluss. Einige von ihnen trugen eine Art geflochtene Kabinen auf dem Rücken, in denen Männer saßen.

Ich kann nicht sagen, was ich erwartet hatte. Aber darauf wäre ich nie gekommen.

»Was ist…?«

»Das sind Alligatoren, Claidissa. Und diese Dinger auf ihren Rücken nennt man Reitjadjas.«

»Reitjadjas, ach so.«

Die Alligatoren, zumindest einige von ihnen, peitschten mit den Schwänzen. Auf ihren roten Schuppen flimmerte Mondlicht. Sie sahen sehr schön aus, aber ihre Augen blickten kalt und schimmerten mondgrün.

Denn auch der Mond hatte einen Stich ins Grüne. Ein zarter Nebel, der zum Himmel aufstieg, hüllte ihn ein. Der Mond war hinter einer Wolke versteckt – in der Mondwolke verloren. Oder einfach nur in den Mondsümpfen.

»Das kann ja heiter werden«, sagte ich deprimiert.

Da sprangen einige Reiter aus ihren Kabinen und eilten eifrig die Treppe hinauf. Sie brachten Opfergaben für den Mondgott. Die meisten hatten sie mit Pfeil und Bogen in den Sümpfen erlegt.

Der Mensch muss essen. Wahrscheinlich muss er auch Opfer bringen. Aber es war ein trauriger Anblick.

Zu meiner Überraschung beherrschte Nemian die Sprache der Alligatorreiter ausnahmsweise einmal nicht. Einer der Leute vom Schrein musste dolmetschen. Sobald sie sich einig geworden waren, lenkte ein Reiter seinen Alligator zum Treppenabsatz, von wo aus wir auf seinen Rücken kletterten und uns auf dem gepolsterten Boden der recht geräumigen Kabine niederließen.

Ich fragte mich, ob diese Leute wohl auch Geld verwendeten, und kam zu dem Schluss, dass das eher unwahrscheinlich war. Ihr kurzes Haar war ungeschickt geschnitten und sie trugen Kleidung aus gewebtem Schilf. (Das mit dem Schilf sagte mir Nemian später, mir fiel nur gleich auf, dass sie ziemlich primitiv aussah.) Sie schmückten sich mit Ketten aus polierten Flusskieseln, Alligatorklauen und Zähnen.

Diese Jadjakabinen waren ebenfalls aus Schilfgras geflochten.

Es schien unserem Reiter nichts auszumachen, dass er keine Gelegenheit bekam, den Schrein aufzusuchen. Möglich, dass sie es als Teil ihres Dienstes am Mondgott auffassen, Reisende zu befördern, die sie im Mondschein abholen.

Während der Reiter den Alligator antrieb, indem er ihm sanfte Fußtritte versetzte und auf die Flanken klopfte, begann er, mit zum Mond erhobenen Blick zu singen.

Der Mond leuchtete hinter seinem grünen Schleier hervor. Aus dem Sumpf stieg Nebel auf. Das Wasser schimmerte wie altes Glas. Das traurige Lied mit seinem unverständlichen, aber zweifellos traurigen Text weckte in mir das Bedürfnis, wie einer der Hultahunde zu heulen, auch wenn sie das selten getan hatten.

Wir blieben ein paar Tage und Nächte in den Sümpfen. Ab und zu machten wir Halt in winzig kleinen Dörfern aus Schilfhütten, vor denen die Männer saßen und angelten oder Netze flickten, während ihre Frauen an Schilfwebstühlen Schilfstoffe webten.

Es war ein stilles Volk. Auch untereinander redeten sie nicht viel. Nemian machte sich durch Gebärdensprache verständlich. Sie gaben uns Fische und essbare Blätter und brackiges Wasser, das aber offensichtlich trinkbar war.

Das Maul eines Alligators ist eine Mannsgröße lang. Oder noch ein Stückchen länger. Darin blitzen ungefähr drei Millionen Zähne – jedenfalls annähernd. Trotzdem sah ich Reiterkinder, die mit ihnen herumschwammen und tauchten. Sogar Kleinkinder.

Alligatoren stinken nach Fisch. *Diese* Alligatoren wenigstens.

Und bald auch wir.

Einer der Sonnenuntergänge war wirklich bemerkenswert. Der Sumpf enthält bestimmte Mineralien, die manchmal merkwürdige Farben hervorrufen. Dieses eine Mal färbte sich der Himmel bläulich violett und die Sonne orangerot. Und diese Töne vermischten sich mit der Farbe des Wassers. Blitze flackerten trocken über den Himmel, ganz ohne Regen, Wind oder Donner. Sie leuchteten in allen Farben des Regenbogens und in den verschiedensten Formen – wie verzweigte Äste, Bögen oder rollende Räder.

Er sagte: »Hübsch, das Sumpflicht. Ich hatte bereits davon gehört, aber noch nie selbst eins gesehen. Natürlich ist es nicht mit den Feuerwerken bei uns zu Hause zu vergleichen.«

Schließlich kamen wir hier an, in Flussschlund. Das war gestern. Das Sumpfgebiet endet hier, und vom obersten Stock des Gästehauses aus, falls es eines ist, kann ich jenseits der Schilfreihen eine endlose Wasserfläche erkennen. Das ist der Breitfluss.

Die Wasserfläche sinkt und steigt abwechselnd – im Rhythmus der Gezeiten, wie Nemian gesagt hat.

Bei den Leuten hier scheint es sich um Dienstboten zu handeln. Sie sprechen meine Sprache und dann noch eine andere. Nemian beherrscht natürlich beide.

Warum wir hier warten? Nemian hat jemanden beauftragt, ein Boot für uns zu besorgen.

Ich hatte gerade den letzten Satz fertig geschrieben, als er ins Zimmer kam und begeistert verkündete, dass wir morgen ablegen werden.

In drei Tagen, fuhr er gut gelaunt fort, könnten wir schon da sein. In seiner Stadt mit den Feuerwerken und dem Wolfturm. In seiner Heimat. Meiner.

Seine Stadt

Der Breitfluss ist wirklich breit. Man hat den Eindruck, im leeren Raum oder im Himmel dahinzutreiben. Weil sich der Himmel im Wasser spiegelt und mit dem Fluss eins zu werden scheint. Und sonst ist da nur das Boot, zu beiden Seiten kein Land in Sicht.

Ein riesiges, gewölbtes Segel, das sich langsam und regelmäßig mit *atmendem* Wind füllt. Wie eine Lunge.

Sie waren Sklaven. Ich meine die Leute, die uns bedienten. Ich wurde noch nie bedient. Im Gegenteil natürlich. Ich fand es nicht so angenehm. Und sie waren Sklaven, keine Diener. Zwei Männer und eine Frau. Sie saßen hinten im Boot – im *Heck* – im Schneidersitz, mit gesenktem Kopf, bereit, auf einen Ruf oder einen Wink von Nemian hin sofort aufzuspringen.

Es befanden sich auch zwei Matrosen mit an Bord, um das Boot zu lenken (ich glaube, eigentlich sagt man dazu Schiff). Sie waren sehr ehrerbietig. Nein, kriecherisch.

Weil mir das alles so unangenehm war, saß ich einen Großteil der Zeit einfach an der Reling und starrte aufs Wasser hinaus.

Der Sonnenuntergang am ersten Abend war überwältigend.

»Schau nur, alles ist golden«, sagte ich zu Nemian. Ich versuchte, hin und wieder mit ihm zu sprechen.

»Wenn dir das so gefällt, kann ich dir, glaube ich, eine große Freude machen«, erwiderte er.

Erstaunt ließ ich mich von ihm zu der Kajüte führen, die mir zum Schlafen zugewiesen worden war. Die dort wartende Sklavin verbeugte sich so tief, dass ihr Kopf fast ihre Knie berührte.

»Prinzessin Claidissa«, sagte Nemian, »möchte sich jetzt ihre Robe ansehen.«

Daraufhin öffnete die arme alte Sklavin eine Truhe und holte dieses Kleid heraus.

Ich muss zugeben, dass ich noch nicht einmal im Haus ein so prächtiges Kleidungsstück gesehen habe. Durch die flimmernden Lichtreflexe des Himmels und des Flusses wirkte der goldene Stoff des Kleides, als wäre er aus purem Feuer gewebt.

»Dieses Gewand wirst du tragen«, verkündete Nemian, »wenn wir in meine Stadt segeln.«

Er erwartete Begeisterung, Dank und entzücktes Gezwitscher von mir.

Nun, ich bedankte mich.

»Es ist ein sehr vornehmes Kleid.«

»Ich weiß, dass du schlichte Kleidung vorziehst«, sagte Nemian freundlich. »Jizania erzählte mir davon. Ich glaube, sie erwähnte sogar, du hättest gelegentlich den einen oder anderen Tisch poliert. Du bist ein seltsamer kleiner Kauz. Aber in der Öffentlichkeit wirst du dich nun einmal deinem Rang entsprechend kleiden müssen.«

Natürlich – um ihn nicht zu blamieren. Das war nur recht und billig. Er brachte mich schließlich mit nach Hause und wollte mich stolz vorführen. Dazu musste ich entsprechend aussehen. Das alles bereitete mir ziemliches

Kopfzerbrechen. An seiner Seite – ich meine, als seine Gefährtin, vielleicht sogar Frau (das war mir noch nicht ganz klar) – hatte ich Verpflichtungen. Musste Unangenehmes in Kauf nehmen.

Prinzessin Claidissa.

Oh.

»Oh«, sagte ich demütig.

Wir aßen an Deck zu Abend. Wobei wir gewissermaßen von vorne bis hinten und von Anfang bis Ende bedient wurden. Wein, Obst und Speisen unter silbernen Hauben.

Das erinnerte mich an das Haus.

Was hatte ich erwartet?

Vielleicht hatte ich es mir anfangs sogar gewünscht, bedient und in jeder Hinsicht umsorgt zu werden. Ich kannte es nicht anders – man war entweder Herr oder Gescherr.

Aber mittlerweile …

Ich plauderte fröhlich. Oh, schau nur, da oben fliegen Vögel. Oh, da drüben, siehst du? Eine Insel, auf der ein Baum wächst.

Aus Dämmerung wurde Nacht. Ich ging in meine Kajüte, um mich schlafen zu legen. Konnte aber nicht schlafen.

Insgesamt dauerte die Reise beinahe vier Tage. Der Wind blies nur schwach und außerdem verlangsamten die Gezeiten – glaube ich – unsere Fahrt. Behaupteten die Matrosen jedenfalls und entschuldigten sich zerknirscht, in der Hoffnung, er würde nicht böse. Aber Nemian war Gott sei Dank nur kurz angebunden und ziemlich desinteressiert, nur ein- oder zweimal reagierte er leicht gereizt. Er war nie unhöflich oder grausam oder gewalttätig.

Am letzten Tag kam zu beiden Seiten Land in Sicht. Das

Wetter hatte sich geändert. Es war kühl geworden. Der Himmel und der Fluss lagen da wie Laken aus grauer Seide.

Dann zogen Wolken auf und Regen fiel in müden, kleinen Tropfen.

Kurz nach dem Mittagessen tauchte am näher gelegenen Ufer ein sehr hoher, glatter, grauer Fels auf – man konnte inzwischen beide Ufer sehen. Viel mehr war da nicht. Einige Bäume, deren Äste ins Wasser hingen, in einer reichlich flachen Landschaft. Links konnte ich dünn die Silhouette eines Gebirgszugs sehen, der eine mehrmonatige Reise entfernt sein musste. (Mir kam die Gegend insgesamt ziemlich karg vor.)

Trotzdem rief Nemian: »Ah!«, und sprang auf.

Er salutierte vor dem steinernen Pfeiler oder was auch immer das Ganze darstellen sollte und stand dabei fast so starr wie der Fels selbst. Und die Sklaven und Matrosen verbeugten sich, so tief sie konnten.

Nemian drehte sich zu mir um. Sein Gesicht glühte vor Eifer.

»Nur noch etwa eine Stunde, Claidissa. Dann sind wir da.«

Mir wurde sofort schlecht. Wie kindisch. Wieso brachte ich nicht wenigstens ein Fünkchen Interesse auf?

»Da freue ich mich aber«, sagte ich.

»Geh und mach dich fertig, Claidissa.«

»Ja, aber …«

»Keine Sorge. Ich ziehe mich an Deck in diesem Zeltdings um. Kümmere du dich nur um dich selbst.«

Eigentlich hatte ich einwenden wollen, dass ich niemals »etwa eine Stunde« brauchen würde, um mich fertig zu machen. Aber im Grunde spielte das keine Rolle, also tat ich, wie mir geheißen, und die Sklavin folgte mir in die Kajüte.

Riesenirrtum. Es dauerte zwei volle Stunden.

Zuerst baden und Haare waschen, dann trocknen und anschließend parfümieren und so weiter. Alles wunderbar, nur dass ich mich unwohl fühlte, sodass es nicht wunderbar war.

Danach zog mir die Sklavin Spitzenunterwäsche an und streifte mir das goldene Kleid über.

Zum Schluss Strumpfhosen und Schuhe, Armreifen und Ohrringe. (Sogar ein goldenes Täschchen für das Buch.) Mein Haar war zwar noch feucht, aber die Sklavin begann trotzdem, mich zu frisieren. Sie flocht einen Teil der Haare zu Zöpfen, steckte einen anderen Teil mit Nadeln hoch und ließ einzelne Strähnen herabhängen, die sie mittels zweier heißer Eisenstäbe (einer Brennschere, wie sie sagte) zu Locken drehte, worauf es nach versengten Haaren stank – meinen.

Sie schminkte mich. Zuerst legte sie Puder auf und umrahmte die Augen dunkel und dann färbte sie meine Lippen und meine Wangen rot.

Sie malte mir sogar die Fingernägel golden an, und ich musste starr dasitzen wie ein bizarrer Baum und meine Hände mit gespreizten Fingern in die Luft halten, damit das Zeug trocknete.

Als ich wieder an Deck kam, stand Nemian, in Schwarz und Gold gekleidet, da und sah sehr majestätisch aus. Er nickte mir zu. Was mir nach der zweistündigen Prozedur doch etwas dürftig erschien. Ich finde, er hätte etwas im Sinne von »Hübsch siehst du aus« sagen können. Allein schon der Sklavin zuliebe, die sich solche Mühe gegeben hatte.

Die Sklaven servierten uns gelben Wein in langstieligen Gläsern.

Und die Stadt tauchte auf.

Ich hatte mir schon seit längerer Zeit voller Unbehagen überlegt, dass alles sehr trostlos aussah, diese graue Ebene, aus der immer wieder hohe graue Dinge – keine Ahnung, wozu sie dienten – aufragten. Über allem lag eine Art Regenschleier. Alles sah geisterhaft aus.

Und dann wuchs auf einmal dieser gigantische *Klumpen* aus dem Nichts und wir segelten mitten hinein.

Aus dem Nebel ragte eine riesenhafte schwarze Statue hervor. Sie glänzte regennass. Was sie darstellte? Es sah nach einem schlecht gelaunten Herrn aus, der seinen Kopf in den Nebel reckte.

Ich betrachtete ihn noch nachdenklich, als plötzlich andere Formen, alle gigantisch groß, hinter ihm zum Himmel wuchsen, und mittendrin trieb hilflos unser Schiffboot.

Hohe, aus Stein gebaute Begrenzungsmauern erhoben sich zu beiden Seiten am Ufer, darüber reckten sich Stein um Stein düstere Gebäude in die Höhe. Und Türme ragten empor, ihre Umrisse nur vom Nebel weich gezeichnet. Aus manchen Fenstern schimmerte gedämpftes Licht. Die Türme glänzten vor Nässe wie dunkle Schlangenkörper.

Und überall standen diese riesigen Statuen, aus hellem Marmor oder schwarzem Basalt. Sich aufbäumende Bestien (Löwen, Bären [?]). Eine bedrohlich wirkende, steinerne Frau beugte sich zum Fluss hinab, sodass ich einen Moment lang (zu Tode erschrocken) dachte, sie würde direkt auf unser Boot herabstürzen. In der emporgereckten Steinhand hielt sie einen enormen (echten) Spiegel, der unsere nach oben starrenden Gesichter widerspiegelte, winzig klein wie Mäusefratzen.

Schicht um Schicht überlagerten sich die Dächer am Horizont, bis sie in Nebelschwaden und den Wolken verschwanden. Alles war so groß. So glatt poliert. So sauber und kalt und düster und dunkel.

»Oh ja«, flüsterte Nemian. »Wie ich diese Stadt vermisst habe. Heimat. Mein Zuhause. Deins. Und schau doch – da drüben – siehst du, da?«

Ich folgte mit den Augen seinem ausgestreckten Zeigefinger. Dort erhob sich ein Turm, dem es irgendwie gelang, sogar noch riesiger auszusehen als alles andere, noch glatter poliert und düsterer und so weiter. Auf der Spitze kauerte eine beängstigend aussehende, knurrende schwarze Bestie aus Stein, die in der ausgestreckten, klauenbewehrten Pfote eine im Regen dunkel und schlaff herabhängende Fahne hielt.

Es war daher völlig unnötig, dass er mir in gerührtem und schwärmerischem Tonfall mitteilte: *»Der Wolfturm.«*

Da Nemian so bedeutend war (und nach allem, was er mir über die zu erwartende Begrüßung gesagt hatte), rechnete ich (vielleicht nicht ganz zu Unrecht) mit riesigen Menschenmengen.

Mengen waren keine da. Oder doch – eine.

Das Schiff wurde ans Ufer gelotst, wo auf einer langen, mit Steinplatten gepflasterten Terrasse, die vom Wolfturm mit dem dämonischen Steinwolf bis zum Fluss hinabführte, einige elegant gekleidete Menschen warteten. Daneben stand eine andere kleine Gruppe, offenbar weitere Sklaven.

Die Sklaven warfen sich bäuchlings auf den pfützenübersäten Boden.

Unsere Schiffssklaven warfen sich auf das Deck, sogar der, der gerade das Boot am Ufer vertäute – allerdings erst, nachdem er fertig war.

Die edlen Herrschaften näherten sich dem oberen Treppenabsatz und sahen auf uns herunter. Sie waren atemberaubend angezogen und dick mit Gold und Silber behängt, als würden sie *Rüstungen* tragen.

Sie lächelten und winkten mit zarten Händen. »Nemian – Nemian!«, riefen sie. »Du Guter!«

Komischerweise sahen sie für mich irgendwie alle gleich aus. Und beinahe alle hatten goldenes Haar, genau wie er.

Nemian ging an Land und die Treppe hinauf. Oben angekommen drehte er sich um und deutete auf mich, wie um mich ihnen zu präsentieren. Sie applaudierten und stießen schrille Schreie aus.

Ich wusste nicht, was ich tun sollte, und stand daher einfach nur ziemlich dümmlich da.

Einer der Männer sagte: »Dein Bote ist zeitig vor dir eingetroffen, Nemian. Die Alte Dame wird gleich kommen.« Nemian errötete vor Freude. (Musste wohl seine Großmutter sein.)

»Das ist zu viel der Ehre. Ich hätte euch fast enttäuscht.«

»Aber nicht doch, Nemian. Wir haben von deinem Pech gehört. Und trotzdem war die Reise von Erfolg gekrönt.«

Sie strahlten mich an. Sollte ich auch lächeln? Oder mich damenhaft zurückhalten? Doch noch bevor ich einen Entschluss fassen konnte, heulte im Turm eine Sirene los. Die Leute wurden totenstill und ihr Lächeln erstarb. Alle Köpfe wandten sich der Tür zu, die sich am anderen Ende der Terrasse öffnete. Es war eine ungewöhnlich hohe rechteckige Tür, zwei Hälften aus Stahl.

Zuerst erschienen zwei Sklaven, die Arme ausgestreckt, als wollten sie eine Menschenmenge verscheuchen. Sie sahen sehr hochmütig drein. Und dann kam *sie.*

Ich erkannte sie sofort. Und dann wieder doch überhaupt nicht. Hätte ich bloß nicht von dem Wein getrunken.

Sie war groß, hager, glatt poliert wie die Gebäude. Und sie hatte auch dieselbe Farbe oder Nichtfarbe.

Und dann ihre Augen. Schwarz in ihrem ältlich vertrockneten weißen Gesicht. Sie blickten mich so eindringlich an, als wollten sie mich bis zu den Knochen durchbohren.

Die beiden hochmütigen Sklaven quäkten im Chor: »Prinzessin Eisenelle von Novendot.«

Und plötzlich wusste ich, an wen sie mich erinnerte, trotz ihrer frappierenden Unähnlichkeit: an Jizania von Tiger aus dem Haus, das ich hinter mir gelassen hatte.

Das Gesetz: Gesucht und gefunden

Ich blicke mich zum tausendsten Mal um und frage mich, ob es nicht doch einen Weg durch das eine oder andere Fenster gibt oder sogar durch die Tür. Kann ich überhaupt etwas tun? Ich denke daran, dass ich im Haus doch auch millionenundeinmal in der Tinte saß und immer wieder heil herauskam. Vielleicht mit brennender Wange oder blutig geschlagenen Handflächen, aber ohne bleibende Schäden. Hier wieder herauszukommen, ist viel schwieriger. Korrektur. Es ist unmöglich. Argul sagte, wo ich sei, gäbe es Ärger, und damit hatte er vollkommen Recht. Ich wünschte nur, er wäre hier und könnte sagen: *Ich habe es dir ja gesagt.* Obwohl, eigentlich wünschte ich mir nicht, dass er hier wäre. Ich würde es kaum jemandem wünschen, hier zu sein.

Bitte entschuldige, ich fange noch einmal an. Du weißt ja gar nicht, wovon ich rede.

Wann die Panik in mir aufstieg? Auf jeden Fall lange bevor ich *hier* landete. Im Grunde genommen in dem Moment, als ich Prinzessin Eisenelle zum ersten Mal sah.

Sie schritt, mit ihrem lakritzenschwarzen Gehstock den Weg abtastend, die Terrasse entlang. Ihre Hände erinnerten mich an weiße Klauen.

Eisenelle ist nicht so schön wie Jizania, und im Gegensatz zu dieser hat sie noch all ihr Haar, das teilweise noch schwarz oder besser gesagt eisenfarben ist und das sie sich straff aus dem maskenhaften Gesicht gekämmt und oben am Kopf mit silbernen Nadeln zu einem hohen Knoten gesteckt hatte.

Als sie näher kam, sanken Nemian und die anderen auf die Knie. Und zwar nicht bloß auf eins – auf beide.

Und alle Sklaven lagen platt am Boden. Nur ihre eigenen nicht, die mit gebeugten Köpfen niederknieten.

Ich als Einzige blieb aufrecht an Deck des Bootschiffes stehen. Warum? Irgendwie hatte ich Angst, beim Niederknien das Kleid zu zerreißen. (Der Stoff wirkte nicht sehr strapazierfähig.) Oder es zu beschmutzen. Es gehörte ja nicht mir. Sie stellten es mir bloß zur Verfügung, diese Leute da. (So wie wir Dienerinnen vom Haus eingekleidet worden waren.)

Ich senkte den Kopf. Aber das hatte mehr etwas mit Scham zu tun als mit etwas anderem.

Und weshalb schämte ich mich? Vielleicht habe ich das zweite Gesicht, genau wie Arguls Mama.

Unter gesenkten Lidern hervorblinzelnd, sah ich, wie Eisenelle von Novendot Nemian hochzog und umarmte. Es war eine steife und kalte Umarmung. Es sah aus, als würde er von einem der Türme umarmt. Trotzdem schien er sich furchtbar zu freuen. Er küsste ihr die Klauen.

»Du hast sie gefunden«, sagte sie.

»Das habe ich, verehrte Dame.«

»Wie heißt sie?«, hörte ich die alte Stimme heiser fragen.

(Wer, ich?)

»Claidissa von Stern.« (Also ich.)

»Ja.« Eisenelle von Novendot nickte. »Genau.«

Unter all den Locken und Flechten auf meinem Kopf

sträubten sich mir die Haare. Wie meinte sie das, er hat mich *gefunden*? *Kannte* sie mich etwa?

Dann führten-schubsten mich die abscheulichen Sklaven vom Boot über die Treppe auf die Terrasse hinauf und ich stand direkt vor ihr.

»Ich heiße dich in der Stadt willkommen«, sagte die alte Frau. Bei ihr hörte sich das – wie bei Nemian – so an, als gäbe es nur diese eine Stadt. Als würde sie das Wort mit extragroßen Buchstaben schreiben. Genau wie die Leute im HAUS. Alles Lügen, wie ich jetzt weiß. »Wir freuen uns, dich hier zu begrüßen«, sagte sie. »Ich ganz besonders.«

Sie? Das merkte man ihr aber nicht an. Diese Augen, pechschwarz mit grauen Ringen um das Schwarz. Grauenhafte Augen. Aber sie sah irgendwie doch aus wie Jizania. Lag es bloß am Alter? Nein – aber abgesehen davon, wie alt war sie wohl?

»Wir gehen jetzt hinein«, verkündete sie in die Runde.

Ein Befehl.

Alle erhoben sich und lächelten dabei geziert.

So plötzlich wie ein Tier, das sich auf seine Beute stürzt, wirbelte sie herum und packte mein Gesicht mit ihren Klauen.

»Reden kannst du aber?«

»Ja, verehrte Dame.«

»Gut.« Sie lächelte. Aha. Sie trug ein künstliches Gebiss. Sehr schöne Zähne. In Silber gefasste Perlen. Ich dachte, dass sie sich ihr Lächeln sicher für besondere Gelegenheiten aufhebt. (Und das tut sie.)

Die Sklaven führten uns in eine Mauernische und zogen ein vergoldetes Gitter zu. Anschließend betätigten sie im Inneren einen Hebel und das Ganze – Nische, Gitter, wir –

ratterte schaukelnd nach oben. Wir waren wie in einem Käfig eingesperrt, was mir gar nicht behagte. Aber ich erinnerte mich, dass Nemian von den mechanischen »Beförderern« erzählt hatte, mit denen man in seiner Stadt in die oberen Stockwerke gefahren wird.

Gerade als ich schon fürchtete, wahnsinnig zu werden, und losschreien wollte, erreichten wir eine weitere Nische. Zu meinem Entsetzen rauschten wir geradewegs daran vorbei.

So ging es noch einige Male. Als ich bereits alle Hoffnung begraben hatte, kamen wir an eine Nische, vor der wir anhielten. Von außen öffneten Sklaven das Gitter.

Wir standen in einem gigantischen Saal. Die Wände waren ewig weit entfernt und die Decke hoch wie der Himmel, so schien es mir zumindest. Tatsächlich war sogar ein Himmel darauf gemalt, nur dass die Farben bereits ziemlich verblasst waren. Was natürlich beabsichtigt gewesen sein kann. Grau mit blauvioletten Wolken. (Vermutlich war es Absicht.)

Auf dem dunkelgrauen Marmorboden standen zierliche Tische mit Speisen, Getränken, Rauchwaren und geöffneten Kistchen, die merkwürdige Stäbchen und Tabletten enthielten. Sie sahen aus wie die, die mir Nemian in der Staubwüste anstelle von richtiger Nahrung angeboten hatte. Ich konnte mir nicht vorstellen, wozu man sie hier benötigen sollte.

Allerdings steckte sich Nemian gleich eine Hand voll davon in den Mund und kaute. Danach nahm er sich ein Glas Wein, das ihm ein Sklave anbot. Ich auch – ich meine, ich nahm auch von dem Wein, obwohl ich eigentlich keinen wollte.

Die alte Dame ließ sich ein Glas reichen, dessen Inhalt nach brackigem Tümpelwasser aussah, nippte daran und schnitt eine Grimasse wie ein Kind, das angebrannten Spinat zu essen bekommt, wo es doch eigentlich Eis wollte.

Sie packte Nemian am Arm. Während sie ihn durch den endlos langen Saal wegführte von der Menge, die weiterhin geziert lächelte und ihnen bewundernd nachblickte, rief sie: »Du auch, Claidissa.«

Also ging ich mit.

Vom Boden bis zur Decke erstreckten sich riesige Glasfenster. Irgendwann blieben wir vor einem von ihnen stehen und blickten über die Stadt. (Oberhalb des Fensters, das etwa doppelt so groß war wie ich, schwebte ein hässliches Etwas in der Luft. Es dauerte ein Weilchen, bis ich es als die schwarze Pfote des dämonischen steinernen Wolfs erkannte, die über das Dach hinausragte. Wo war ich hier nur gelandet?!)

Auch die Stadt sah gemein aus. Wie konnte er nur stolz darauf sein? Heimweh nach ihr haben?

Regen sprudelte zwischen den hässlichen, überhohen Gebäuden. Dazwischen kauerten oder standen hoch aufgerichtet diese deprimierenden Statuen. Alles war schwarz oder grau oder hatte die Farbe von saurer Milch. Scheußlich.

Ich fragte mich, ob die Stadt von schützenden Mauern umgeben ist. (Wie ich inzwischen weiß, ist das nicht der Fall. Stattdessen haben sie Wachtürme mit Ausgucken und Beobachtungsgeräte, wie die in Peshamba, nur »ausgeklügelter«.) Als ich jetzt hinaussah, dachte ich, dass ein einziger Blick auf diese Stadt reichte, um jeden – Freund oder Feind – dazu zu bringen, sofort umzudrehen und in eine andere Richtung zu rennen. Nur weg.

Nemian und seine Großmutter unterhielten sich murmelnd. Nicht vertraut, sondern eher verschwörerisch und hinterlistig. Beide sahen verschlagen und selbstzufrieden drein. Was ihrer Attraktivität nicht zuträglich war. Er sah gar nicht mehr so gut aus. Sein Gesicht hatte sich verändert. Und dann warf er mir plötzlich einen Seitenblick zu und lachte. Ein grausames Lachen. Unverkennbar. Ein herzloses, triumphierendes Lachen.

Ich wollte keine voreiligen Urteile fällen. Das hatte ich zu oft getan und war eines Besseren belehrt worden. Ich stand deshalb nur verschüchtert da.

Eisenelle von Novendot sah mich ebenfalls schräg von der Seite an und fragte: »Und Jizania? Wie ist ihr wertes Befinden?«

An die hatte ich sowieso die ganze Zeit gedacht, und ich sagte ohne nachzudenken: »Könnte nicht besser sein.«

»Zum Teufel mit ihr!«, stieß Eisenelle gehässig zwischen ihren Perlzähnen hervor. »Das sieht ihr ähnlich.«

»Leider«, sagte ich betrübt, »hat sie vergessen, mir Grüße für Sie aufzutragen.« (So wie sie überhaupt einiges vergessen hat, fügte ich stumm hinzu. Zum Beispiel, dass Sie sich zu kennen scheinen.)

Eisenelle nippte wieder stumm an ihrem Glas.

»Eines Tages«, sagte sie zu mir, »wirst auch du in ein Alter kommen, wo du dich von so einer Brühe ernähren musst. Hat Jizania dir gesagt, wie alt ich bin?«

Sie wartete. Die Ältlichkeiten lieben es, wenn man sich über ihr Alter erstaunt zeigt. Ich sagte: »Nein, verehrte Dame.«

»Einhundertundsiebzig«, teilte sie mir mit.

Das nahm ich ihr keine Sekunde ab. Ich würde sagen, sie

ist nicht älter als neunundneunzig. Trotzdem riss ich die Augen auf und rief: »Ein stolzes Alter, verehrte Dame.«

»Auch du«, sagte sie, »wirst hier in unserer Stadt ein stolzes Alter erreichen. Und am Ende wirst du, genau wie ich, solchen Schlabberschleim trinken.« Die Vorstellung gefiel ihr offenbar, denn sie lächelte wieder.

War das ein Fluch?

Nein, es schien sich schlicht um eine Feststellung zu handeln.

Mir wurde kalt, weitaus kälter, als wenn sie mich tatsächlich verflucht hätte.

Nemian räusperte sich. »Sie weiß noch nichts, Großmutter.«

»Ach, wirklich? Dann erwartet sie ja eine nette Überraschung. Wie hast du sie hergelotst?«

Nemian warf mir einen reumütigen Kleiner-Junge-Blick zu, der auszudrücken schien: Sicher wirst du mir verzeihen, Claidi. Laut sagte er: »Nun ja, ich musste sie öfters anlügen.«

»Und dank deines hübschen Gesichts«, frohlockte Eisenelle, die von Sekunde zu Sekunde zufriedener dreinblickte, »zappelte das arme Fischlein schnell am Haken.«

Meine Kinnlade fiel nicht nach unten. Und ich kotzte ihnen auch nicht auf die Schuhe. Darauf bin ich nach wie vor stolz. Ich war so von Angst erfüllt, dass ich, in eine Kugel aus Eis eingeschlossen, in der Luft zu schweben schien. Panik schnürte mir die Kehle zu, sodass ich kein Wort hervorbrachte. Deshalb blieb ich glücklicherweise stumm.

Nemian sagte: »Ich muss zugeben, als Jizanias Männer den Ballon abschossen – was nicht Teil meines Plans war –, dachte ich einen Moment, alles wäre verloren. Aber das

Glück war auf meiner Seite. Jizania hielt ihr Versprechen – nachdem ich ihr die Blume gezeigt hatte. Ich weiß nicht, ob sie sich ohne die Blume daran erinnert hätte. Sie ist geistig längst nicht so rege wie Ihr, Großmutter.«

Die beiden schmunzelten sich zufrieden an.

Eisenelle sagte: »Ich muss Claidissa unbedingt den Garten zeigen, in dem die Unsterblichen wachsen.«

Ich verstand kein Wort. Früher oder später würden diese beiden Scheusale mich aufklären müssen. Mir dämmerte aber, dass ich nicht nur zum Narren gehalten worden, sondern von Anfang an eine Närrin gewesen war.

Komischerweise tauchte plötzlich Arguls Bild vor meinen Augen auf. Er wäre diesen Schurken niemals auf den Leim gegangen. Er hätte ihr Spiel von vornherein durchschaut. Trotzdem – er wüsste genau, was in solch einer Lage zu tun wäre, da war ich mir sicher. Ich kann es nur schwer beschreiben, aber auf einmal schien ich mich in Argul zu *verwandeln.* Ich war nicht länger Claidi, sondern er: groß, stark, selbstsicher und klug. Und mutig.

Ich blickte die beiden mit Arguls Augen an und sagte: »Der Wein schmeckt ziemlich schauderhaft. Vielleicht ist man hier so ein Gesöff gewöhnt. Ich finde ihn ungenießbar.« Und mit diesen Worten drehte ich mein gefülltes Glas um und goss den Inhalt auf ihren hässlichen Marmorfußboden.

Beide starrten mich an, den Mund weit aufgerissen. Ein Bild für Götter!

In diesem Moment schrillte eine Glocke.

Alle schauten in eine Richtung, sogar die beiden. Hinter einem dünnen Vorhang traten zwei weitere Sklavinnen hervor und verbeugten sich. Und dann erschien das Mädchen.

Es war … ich weiß gar nicht, wo ich beginnen soll. Aber ich will es versuchen. Also, stell dir eine gerade frisch erblühte Pfingstrose vor, und wenn du deren Farbe mit der allerreinsten Sahne mischst, dann hast du ihre Haut. Ihr Teint hatte genau diese Farbe und war genauso glatt. Ihre blauschwarzen Augen waren leicht mandelförmig geschnitten. Ihr tiefblaues – es muss schwarz gewesen sein – Haar war glatt wie Metallfolie und reichte ihr bis zu den Kniekehlen. Sie trug ein weißes Kleid und war wohl vom Regen durchnässt, sodass ihr Körper schimmerte wie ein Opal.

»Ah, sehr gut«, rief die alte Hexe Eisenelle. »Da kommt Mondseide.«

Dieses Mädchen – Mondseide – glitt auf seinen vollkommen geformten mondblassen Füßen über den Marmorboden auf uns zu.

Nemian stieß eine Art erstickten Schrei aus. Über seine Wangen kullerten Regentropfen – nur dass es Tränen waren.

Er ließ mich stehen, ließ seine Grauen erregende Großmutter stehen, eilte auf das bezaubernde Mädchen zu und zog es in die Arme. Er küsste es. Und *wie.*

Ich muss verstört berichten, dass mir trotz allem war, als hätte mir jemand einen Schlag in den Magen versetzt.

Unnötigerweise (so wie kurz zuvor Nemian geglaubt hatte, mir den Namen dieses schrecklichen Turms nennen zu müssen) sagte Eisenelle: »Wie rührend. Die Liebenden sind wieder vereint. Nemian und seine Braut. Weißt du, Claidissa, sie waren erst einen Monat verheiratet, als er fortmusste, um dich zu suchen.«

Sie erklärte mir alles (Eisenelle.) Und es muss ihr ein höllisches Vergnügen bereitet haben. Ich versuchte, weiterhin Argul zu sein, aber der wäre niemals in diese Falle getappt. Letztendlich blieb mir keine andere Wahl, als Claidi zu sein, zuzuhören und es bestmöglich zu verkraften.

Die Geschichte ist rasch erzählt, obgleich Eisenelle sie in die Länge zog und die Details liebevoll ausschmückte. Mich belauerte. Darauf wartete, dass ich in Tränen ausbrach oder tobte.

Aber zunächst einmal nahm sie mich, allein, mit in das oberste Stockwerk des Wolfturms. Sie führte mich zu den verschiedenen Fenstern und zeigte mir diverse hässliche, bedeutende Gebäude. Zum Beispiel die übrigen drei Türme in den anderen drei Stadtteilen. Den Schweineturm, den Geierturm und den Tigerturm. Du wirst dir schon gedacht haben, dass Jazania von Tiger aus dem Tigerturm kam. Dort war sie *geboren* worden.

Eisenelle zeigte mir auch einen Hof, in dem – in vier Urnen aus grauem Stein – leuchtend rote Blumen mit dicken Blättern wuchsen. So eine hatte Nemian Jizania im Debattiersaal des Hauses überreicht.

Währenddessen verlebte Nemian unten im Wolfturm Stunden der Wonne mit seiner Frau. Bei Mondseide. Eisenelle versäumte es nicht, mich immer wieder darauf hinzuweisen.

Doch sie schoss übers Ziel hinaus. Irgendwann hatte ich mich an den Gedanken gewöhnt.

Eines steht sowieso fest: Nemian ist ein lausiger Ehemann. Da ist er gerade mal einen Monat verheiratet und was tut er? Lässt sich bei der erstbesten Gelegenheit mit einem Hultamädchen ein. Gut, mich hat er umgarnt, weil er musste. Aber *das* ist unverzeihlich.

Wir saßen in Eisenelles Gemach, einem weiteren überdimensionierten Saal, so riesig, dass es darin hallte. Von dort aus blickte man auf den Fluss, der zur anderen Seite des Turms hin wieder breiter wurde, sodass das gegenüberliegende Ufer nicht mehr zu sehen war.

Besonders warm ist es im Wolfturm nicht. Es gibt hier keine Heizung wie im Haus. Nur Kamine und Kohlenbecken, die beide furchtbar qualmen.

Aber jetzt sollte ich aufschreiben, was Eisenelle von Novendot mir erzählte. Dieses Buch enthält die Geschichte meines Lebens, und die Verantwortung dafür, dass alles so kam, trägt sie – beziehungsweise das Gesetz des Wolfturms.

Genau. Das *Gesetz.*

Aber ich glaube, das muss ich gesondert erklären. Denn es ist eine Geschichte für sich – das Gesetz des Wolfturms. Und ich bin nun zu einem winzig kleinen, todunglücklichen Bestandteil dieser Geschichte geworden.

Das Gesetz (wie gesagt, darauf komme ich später noch genauer zurück) befahl, dass Nemian ein Mädchen finden musste, das in der Stadt ein bestimmtes Amt übernehmen sollte. Man könnte sogar von dem wichtigsten Amt überhaupt sprechen. Und dieses Mädchen wurde gebraucht, weil Eisenelle, die das Amt bisher versehen hatte, zu alt dafür wurde oder zumindest behauptete, es zu sein.

Gesetz ist hier GESETZ. Unumstößlich. Niemand darf sich ihm verweigern.

Also bestieg der frisch vermählte Nemian einen der

Heißluftballons, von denen es in der Stadt eine ganze Flotte gibt. (Die allerdings selten benutzt wird.)

Unterwegs stellte sich heraus, dass der Ballon einige Macken hatte, und es sah eine Zeit lang ganz so aus, als würde Nemian sein Ziel nicht erreichen. Dann erreichte er es aber doch und wurde ausgerechnet über dem Ort von Kanonen aus der Luft geholt, den er angesteuert hatte – über dem Haus. Als er behauptete, in einer Mission unterwegs zu sein, hatte er nicht gelogen. Das Ziel der Mission war *ich*. Er hatte den Auftrag, mich zu finden. Das hört sich jetzt an, als wäre ich rasend wichtig. Das war ich auch. Bin es noch.

Es ist nämlich so, musst du wissen, dass Jizania von Tiger in ihrer Jugend, vor über hundert Jahren, diese Stadt verließ, um ins Haus zu ziehen. (Ich weiß nicht, aus welchem Grund. Aber ich denke mal, dass es ihr dort einfach besser gefiel.) Ich weiß nicht, welche Verbindungen es zwischen dem Haus und der Stadt gibt. Damals scheint es zumindest welche gegeben zu haben.

Als sie ging, gab sie ein Versprechen ab – gelobte vor dem Gesetz, dem Wolfturm bei Bedarf ein Mädchen aus dem Haus zur Verfügung zu stellen. Ein Mädchen von königlicher Herkunft, das geeignet war, Eisenelles Amt zu übernehmen, sobald diese es niederlegte.

Ich habe keine Ahnung, ob Jizania dieses Gelübde im Laufe der Zeit vergessen hatte, halte es aber für sehr wahrscheinlich. Und für verständlich. Es war schließlich auch ein überaus blödsinniges Gelübde.

Doch dann überreichte ihr Nemian die rote Blume, die Unsterbliche, das verabredete Zeichen dafür, dass die Zeit gekommen war.

Wenn ich an die Geschichten zurückdenke, die ich gelesen habe, könnte ich mir vorstellen, dass sie ursprünglich ihre eigene Tochter oder Enkelin hätte hergeben sollen.

Hat Jizania Nemian gegenüber vielleicht sogar behauptet, ich – *ich* – wäre ihre Enkelin, das Kind ihrer Tochter?

Sie belog ihn jedenfalls, genau wie mich. Und sie wusste und wird ihm gesagt haben, dass auch er mich belügen soll. Falls er zu irgendeinem Zeitpunkt Zweifel daran gehegt haben sollte, ob ich die Prinzessin war, als die Jizania mich vor ihm ausgegeben hatte, so war es jedenfalls zu spät. Er musste sich mit mir begnügen. Immerhin kam ich tatsächlich aus dem Haus und sprach mit dem typischen Akzent des Hauses – den Eisenelle kannte. Vielleicht hoffte er, das würde genügen. Und ich war so dumm, ihm alles zu glauben und mit ihm zu gehen.

Einmal hätte er mich beinahe verloren – damals in Peshamba. Aber als ihm das klar geworden war, war er zu mir gestürmt und hatte sich vor mir auf den Boden geworfen, um mich zurückzugewinnen. Er war in jener Nacht wirklich verzweifelt und voller Angst gewesen. Als er behauptete, ohne mich wäre sein Leben wertlos, da war das *kein bisschen* gelogen.

Wie ich bereits sagte, Gesetz ist GESETZ. Wäre er mit leeren Händen zurückgekehrt, hätte er seinen Titel verloren, sein Vermögen, seine Frau. Sie hätten ihn in ein Verlies geworfen und dort verfaulen lassen.

So lautet das Gesetz. Niemand darf ihm jemals zuwiderhandeln.

Er hätte vielleicht einfach in die Wildnis fliehen und niemals zurückkehren können. Aber er wollte zurück, aus »Heimweh«. Oder … vermutlich wollte er zu Mondseide zurück.

Natürlich wäre ich nicht einfach so mitgekommen. Ich meine, wenn ich gewusst hätte, wozu sie mich brauchen. Es hatte ihn nicht überrascht, dass ich von Jizania nicht vorbereitet oder aufgeklärt worden war. Oder dass er mir etwas vorlügen musste.

Das alles ist schon schlimm genug. Aber da ist noch etwas. Jizania war fest entschlossen gewesen, ihr Versprechen zu halten und mich dazu zu bringen, mit Nemian mitzugehen. Bedeutet das aber, dass sie auch log, als sie mir sagte, meine Mutter sei von königlicher Herkunft? Wenn sie behauptet hätte, meine *beiden* Eltern wären von Adel gewesen, hätte ich ihr das niemals abgenommen. Weil ich weiß, dass man im Haus ein königliches Paar nicht in die Verbannung geschickt hätte. Die Geschichte der Prinzessin, die sich in ihren Diener verliebte, hatte jedoch glaubhaft geklungen.

Und weshalb kannte Eisenelle meinen Namen, den vollen Namen, den Jizania mir gesagt hatte? Claidissa von Stern. Möglich ist, dass Jizania vor dem Gesetz gelobt hatte, dem auserwählten Mädchen genau diesen Namen zu geben. Sie musste dann nur noch dafür sorgen, dass irgendein beliebiges Kind im passenden Alter ihn erhielt. Das war zufälligerweise ich. Mein Name allein beweist demnach gar nichts.

Sie hatte gemerkt, wie verliebt ich in Nemian gewesen war. Das gab ihr die Gewissheit, dass ich ihre Lüge aufrechterhalten und ihn in dem Glauben lassen würde, eine wirkliche Prinzessin und damit seiner Liebe *würdig* zu sein.

Oder kannst du dir etwa vorstellen, dass ich tatsächlich eine Prinzessin bin?

Weiß der Himmel, was ich wirklich bin. Oder was ich wirklich war…

Jetzt gehöre ich nämlich hierher. Ich gehöre dem Turm. Dem Gesetz. Dieser Ansammlung von Bauklötzen, in der sogar die Statuen der Tiere hässlich aussehen.

Und für all das habe ich Argul aufgegeben. Habe ihn glauben lassen, mir läge nichts an ihm. Und der Ring, den er fallen ließ – der war für mich. Natürlich. Argul war für mich bestimmt, so wie ich für ihn bestimmt war. Aber selbst wenn er einfach nur nett zu mir sein wollte … ich könnte jetzt da draußen leben, in der Welt, im Ödland-das-keines-ist. In Freiheit. Ich könnte weinen oder lachen, bis mir schlecht wird. Stattdessen werde ich weiterschreiben. Das ist nämlich nicht alles gewesen. Falls du es noch aushältst.

Das Gesetz: Gefunden und behalten

Später aß ich mit Eisenelle zu Abend.

Ihr Gemach ist riesig. So groß wie das Rasthaus in Peshamba. Vielleicht nicht ganz. Der Wolfturm ist – wie Nemian mir erklärte, als er ausnahmsweise einmal nicht log – der mächtigste der vier Türme, die über der Stadt am Breitfluss herrschen.

Dafür ist die Küche reichlich mittelmäßig.

Eisenelle selbst trinkt nur diese Schlammbrühe. Ich glaube, das hat damit zu tun, dass sie keine echten Zähne mehr hat und um ihre schönen Perlenzähne fürchtet.

Auf dem Tisch flackerten Kerzen in einem eisernen Kerzenleuchter, der höher war als ich.

Aber was rede ich von Kerzen?

Sie hatte mir bereits den heiligen Bereich des Turms gezeigt. Heilig war früher wohl alles genannt worden, was mit Gott zu tun hatte, aber heute – trotz Nemians poetischer Auslassungen, die mir so viel Eindruck machten – ist nur das vom Wolfturm erlassene Gesetz »heilig«, und zwar heiliger als alles andere.

Das Gesetz.

Ich weiß nicht, wie ich es dir erklären, wo ich beginnen soll. Es ist ... es ist so ... – ich darf mich nicht aufregen. Also, noch mal. Von Anfang an. Früher einmal besaßen alle vier Türme Mitspracherecht beim Erlassen der Gesetze. Doch dann gerieten sie in Streit, in dessen Verlauf der Wolfturm die Oberhand gewann. Und seit dieser Zeit liegt die Gesetzgebung allein in der Hand des Wolfturms und alle anderen müssen sich unterordnen.

Diener oder Dienerinnen haben sie hier nicht. Nur Sklaven. Und selbst die Adeligen, die die Stadt bevölkern und die von den Sklaven bedient werden, sind Sklaven. Sklaven der vom Wolfturm erlassenen Gesetze. Genau wie ich. Ich bin es, seit ich Nemian zur Flucht aus dem Haus verholfen habe. Oder vielleicht sogar schon, seit ich das erste Mal glaubte, ihn zu lieben.

So ein *Mist.*

Die heiligen Gemächer, in denen ich jetzt wohne, gruppieren sich um einen Hauptraum, den sie schlicht »das Zimmer« nennen.

Es ist – erstaunlicherweise – nicht sehr groß.

Schwarz ist es, schwarz wie totes, verkohltes Holz.

Monströse Lampen, zu wuchtig für das Zimmer, geben ein fahles, flackerndes Licht ab.

Entlang der Wände stehen Regale, und darin aufgereiht, wie die Bücher in der Hausbibliothek, schwarze Kästen. Und in diesen Kästen, aufs Sorgfältigste archiviert und ständig überprüft von den Zimmersklaven, die für jeden Fehler schwerstens bestraft werden, werden Karteikarten gesammelt, auf denen der Name jedes einzelnen Mannes, jeder Frau, jedes Kindes und jedes Säuglings der Stadt verzeichnet ist. Dort sind selbst die Namen derjenigen aufgelistet, die gestorben oder, wie ich hoffe, geflohen sind. Sie werfen sie nicht weg, sondern markieren sie rot.

Natürlich kommen immer wieder neue Karten hinzu.

Ich habe am ersten Abend dabei zugesehen. *Sie* führte die Aufsicht. Eisenelle.

Die Sklaven brachten einen Kasten, und ein Sklave aus dem Haus in der Stadt, in dem ein Kind zur Welt gekommen war, überreichte Eisenelle eine Karte mit dem Namen des Babys. Sie nahm die Karte entgegen und legte sie *lächelnd* auf den Kasten. Mehr nicht. Der Zimmersklave musste die Karte noch nummerieren und an der richtigen Stelle einordnen. Wie gesagt, falls einem von ihnen dabei ein Fehler unterläuft…

Schon das ist höchst befremdlich.

Aber was einem im Zimmer wirklich als Erstes ins Auge fällt, das sind die Würfel.

Zumindest nennt Eisenelle sie Würfel.

Ich fragte (wie du siehst, bin ich noch nicht ganz erledigt – obwohl ich mich darüber wundere): »Was sind Würfel, verehrte Dame?«

Sie erklärte es mir und auch, welche Rolle sie in der Gesetzgebung spielen. Kennst du dich mit Würfeln aus? Mir ist das Ganze nämlich noch nicht ganz klar. Die Würfel haben acht Seiten. Auf jeder Seite stehen Zahlen. Von eins bis einschließlich acht.

Hm, wie soll ich dir ihre Form erklären? Ah, ich weiß, ich zeichne sie dir einfach auf.

So sehen sie aus:

Wie geschliffene Diamanten – beinahe. Es gibt nur zwei davon.

Sie stehen aufrecht in Behältern aus vergoldetem Silber, die mich an Eierbecher erinnern, nur dass sie durchbrochen sind, sodass man die Würfel fast vollständig sehen kann.

Die Würfel bewegen sich. Das sollen sie auch. Sie wirbeln und kreiseln in alle Richtungen. Dieser Vorgang findet viermal täglich statt: bei Sonnenaufgang, zu Mittag, bei Sonnenuntergang und um Mitternacht.

Ich habe keine Ahnung, was das Kreiseln verursacht. Es wird irgendein Mechanismus sein. Jedenfalls muss Eisenelle dabei anwesend sein. Und sobald ich alles gelernt habe, muss ich dort sein. Anstelle von Eisenelle.

Sie trägt den Titel »Wolfpfote«.

So wird man mich später auch nennen.

Wolfpfote.

Sobald die Würfel zur Ruhe gekommen sind, liest sie aus ihnen. Es kommt offenbar darauf an, auf welcher Seite sie liegen und welche Zahlen zu sehen sind. Anschließend schaut sie in drei Büchern nach, die auf einem Marmortisch im Zimmer bereitliegen und in denen uralte mathematische Berechnungen stehen. Aufgrund dieser Berechnungen kann sie dann sagen, was dem Gesetz nach erledigt werden muss. Und wer es zu erledigen hat.

Obwohl die Würfel zwangsläufig oft auf die gleiche Weise fallen – es gibt ja nur zwei davon und die haben jeweils nur acht Seiten –, macht es offenbar auch einen Unterschied, welcher Tag und wie viel Uhr es gerade ist. Anscheinend wird dann alles anders berechnet und die Mondphasen spielen eine zusätzliche Rolle – verstehst du das? Ich nicht.

Ich verstehe weder, was in diesen Büchern steht, noch, wie die Würfel funktionieren.

Oder woher sie weiß, wer was zu erledigen hat.

Aber das lässt sich anscheinend wirklich berechnen. Anhand der Zahlen. Jede Drehung der Würfel zeigt etwas an, das jemand tun muss. Die Botschaft der Würfel wird dann an jeweils sechzehn Bürger der Stadt weitergegeben. (Wegen der zweimal acht Seiten der Würfel.) Und das geschieht viermal täglich.

Das macht dann … siehst du, noch nicht mal das kann ich ausrechnen.

Im Rechnen bin ich ein hoffnungsloser Fall – aber mal ganz langsam: vier mal sechzehn, das macht innerhalb eines Tages und einer Nacht insgesamt vierundsechzig Menschen, die etwas tun müssen. (Das habe ich auf einem Extrazettel ausgerechnet.)

Und was immer die Wolfpfote diesen vierundsechzig Menschen als Befehl des Gesetzes aufträgt, *muss* getan werden. Jeden Tag.

Eisenelle hat mir Beispiele genannt.

Nemian heiratete Mondseide, weil die Würfel es ihm so befohlen haben. (Und was ist mit ihr?)

Und er zog aus, um mich zu suchen und herzubringen, weil es die Würfel bei einer anderen Lesung so von ihm verlangten. (Und was ist mit mir?)

Wer den Würfeln nicht gehorcht oder wer versagt, den sperren sie unter der Stadt in klamme, dunkle Verliese, in die Flusswasser einsickert. (Sie genoss es sichtlich, mir davon zu erzählen.)

Das alles ist schon schlimm genug, aber das Schlimmste ist, dass ich kaum kopfrechnen kann. Mathematik ist für mich wie ein Buch mit sieben Siegeln. Wie soll ich jemals lernen, aus diesen grässlichen Würfeln zu lesen und diese grauenhaften Bücher mit ihren Zahlen und Mondphasen zu verstehen?

Das habe ich ihr aber nicht gesagt. Ich stand einfach da und ließ mir nichts anmerken.

Eisenelle hat mich bei Sonnenaufgang zuschauen lassen, wie sie aus den Würfeln liest. Es sah eigentlich ganz einfach aus. Aber sie tut ja auch seit fünfzig Jahren nichts anderes. Die Würfel kreiseln und kommen schließlich seitlich oder aufrecht stehend zum Stillstand. Sie geht hin und schaut sie sich an. Dann liest sie in ihren Büchern nach. Um die macht sie ein Riesentheater und erzählt mir ständig, dass es in der Stadt nur diese drei Exemplare gäbe und wie wertvoll sie seien. (Sie ließ mich die hunderte von Spalten mit Zahlen sehen, die darin abgedruckt sind. Mir schwirrte der Kopf, als würden die Würfel darin herumwirbeln.)

Sie fuhr mit dem Zeigefinger nachdenklich die Spalten entlang, blätterte hin und her und ließ die Zunge schnalzend gegen ihr Perlengebiss klatschen.

Schließlich verkündete sie die Gesetze und die Sklaven mussten alles aufschreiben. Anschließend zogen die Boten (Sklaven des Wolfturms) los, um den glücklich Ausgelosten die Botschaften des Gesetzes zu überbringen.

Und die waren richtig beängstigend.

Ein Mann (Nummer 903, glaube ich) musste zu Hause ausziehen und in Zukunft, »so gut wie möglich«, auf der Straße leben. (Unglaublich.) Und Nummer 5334 – ein kleines Mädchen – musste künftig in einem Schneckenkostüm samt Schneckenhaus herumlaufen.

Die anderen Sachen habe ich vergessen. Sie waren nicht so schlimm. Doch, eine. Am liebsten würde ich sie gar nicht aufschreiben.

Aber ich tue es doch. An die Nummer oder andere Einzelheiten erinnere ich mich nicht mehr. Jedenfalls musste der Betroffene in den Fluss springen und darin auf und ab schwimmen. Er bekam die Erlaubnis, sich »bei Erschöpfung« ein paar Minuten auf Inseln oder am Ufer auszuruhen. Seine Verwandten durften ihn mit Nahrung und »kleinen Annehmlichkeiten« versorgen.

Kein Wort davon, wann diese Strafe endete. Oder ob überhaupt. Das Ganze wurde auch nicht als Strafe bezeichnet.

Das – *das* – ist das Gesetz.

Einige Menschen werden alt, ohne dass ihre Nummer und ihr Name auch nur ein einziges Mal von den Würfeln ausgewählt werden, sodass sie niemals eine Aufgabe erfüllen müssen und in Glück und Zufriedenheit leben können. Oder sie bekommen eine zwar blödsinnige, aber nicht unerfreuliche Aufgabe, zum Beispiel, sich ein neues Hemd zu kaufen.

Oder innerhalb des nächsten Jahres ein Kind zu bekommen.

Oder sich nackt auf eine Mauer zu stellen. Oder in die Wüste zu ziehen und einen Löwen zu töten.

Solche Dinge soll ich mithilfe der Würfel herausfinden. Und dem Volk dann mitteilen. Ich soll zur Wolfpfote werden. Ich soll *sie* werden.

Sie sagte, ich würde hier alt werden.

Weiß Gott, was sie mir antun, wenn ich es nicht lerne. Und ich weiß, dass ich es niemals lernen werde.

Ich will es auch gar nicht lernen. Ich will keinem wehtun,

keinen zum Narren machen, kein Leben zerstören und dabei lächeln, so wie *sie.*

Meine Gemächer sind geräumig. Ich habe ein Badezimmer, ein Schlafzimmer und ein Wohnzimmer. Brokatstoffe, Pelze, Kamine und Lampen.

An einer Wand hängen dick mit Gold und Edelsteinen verzierte Gewänder. Ich finde sie grässlich.

Fünf Sklaven, die mir aufwarten.

Wenn ich *ihren* Platz einnehme, bekomme ich noch mehr. Dann bekomme ich alles, was ich »will«.

Aber ich muss dafür immer anwesend sein, sobald die Würfel mechanisch kreiseln, um in den Büchern nachzulesen und das Gesetz auszulegen. Und zu verkünden.

Nach der heutigen mitternächtlichen Lesung tat ich so, als würde ich mich in mein elegantes weißes Satinbett schlafen legen.

In völliger Finsternis kletterte ich aus dem Bett und suchte einen Weg nach draußen.

Doch die Sklaven waren sofort da, um mir »aufzuwarten«.

Ihre Augen sind wie die der Mondalligatoren aus dem Sumpf. Kalt und blind. Ohne Herz und Verstand.

Eisenelle hat mir erzählt, dass die Wolfpfote manchmal draußen an Prozessionen teilnehmen muss. Am nächsten Tag bat ich, einen Spaziergang machen zu dürfen.

Das wurde mir anstandslos erlaubt. Nur dass die fünf Sklaven mitgehen mussten. Und ein Mann in weißer Uniform mit Gewehr.

Sehr wenige Menschen kamen an uns vorüber. Die meisten wurden von Sklaven in Sänften getragen.

Die Sklaven haben kein Gesicht. Das heißt, natürlich haben sie eins, aber das könnte ebenso gut aus Papier ausgeschnitten sein. Es wirkt nicht menschlich.

Die Gebäude ragen in die immer gleiche, regennasse Düsternis empor.

Ich durchstreife die Zimmer. Vor den Fenstern hängen hübsche vergoldete, schmiedeeiserne Gitter und abgesehen davon geht es mindestens zehn Manngrößen oder mehr in die Tiefe. Ich bin eine Gefangene.

Ich habe mir schon alles Mögliche überlegt – was man eben so aus Büchern kennt. Die Sklaven austricksen, ihnen weglaufen, eine Krankheit vortäuschen, weil sie dann vielleicht weniger scharf aufpassen … denn dass sie aufpassen, ist klar, oder? Aber ich fürchte, das würde alles nicht funktionieren. Sie sind ständig um mich herum. Und in den Straßen der Stadt wird man ständig beobachtet. Nicht von Kristallen, wie es sie in Peshamba gab, sondern von schwarzen Dingern, die wie Gewehre aussehen und immer dorthin zeigen, wo man sich gerade befindet.

In den Kästen stecken Karten mit dem Namen jedes Bürgers der Stadt, jetzt sogar mit meinem – und *ihrem.*

Ich bin vor Angst wie betäubt. Ich habe den Eindruck, sie glaubt, ich verstehe die Berechnungen aus den kostbaren Büchern, die sie mir beizubringen versucht – dabei verstehe ich rein gar nichts. Wie denn auch? Ich bin nie zur Schule gegangen. Zwei plus zwei ist drei.

Ist sie geistig verwirrt? Oder schlicht verkalkt – denn wenn sie mir Fragen stellt, egal was ich antworte, ob ich bluffe oder gar nichts von mir gebe, sie weist mir nie einen Fehler nach. Sie nickt nur.

Ich habe schon lange keine Menschen mehr gesehen.

Abgesehen von den Sklaven und dem weißen Wächter. Und gelegentlichen Spaziergängern, die weit unten auf den gepflasterten Straßen der düsteren Stadt umhergehen. Und ihr.

Das Gesetz ist ein Spiel. Ich glaube, sie spielen ein Spiel und nennen es Gesetz, und wer nicht gehorcht, ist des Todes.

Und so lange, bis ich die Regeln beherrsche, bleibt Eisenelle die Hüterin des Gesetzes. Danach löse ich sie ab. (Wenn ich bedenke, dass mir schon die Rituale im Haus zu viel waren ...)

Inzwischen kommt es mir manchmal so vor, als hätte ich mir Nemian nur ausgedacht. Argul genauso. Und dich – tja, dich habe ich mir ja wirklich nur ausgedacht. Aber ich bitte dich, hilf mir doch – sag mir, was ich tun soll, hilf mir. Du bist der einzige Mensch, an den ich mich wenden kann. Und natürlich kannst du nicht antworten.

Sehr komisch. Mir war gerade, als hätte ich dich gehört, als hättest du gerufen. Ich hörte eine Stimme und Worte. Und das hat mir schon sehr geholfen.

Danke ...

Vielen Dank ...

Unter Wölfen

Sie ist krank.

Sie hat heute bei Sonnenaufgang Gesetze erlassen – morgens muss ich nie anwesend sein – und sich hinterher wieder ins Bett gelegt.

Ich wurde von einem Sklaven benachrichtigt und musste sie besuchen gehen. Von einem anderen Sklaven bekam ich eine der roten Blumen, um sie ihr mitzubringen. Offenbar ist das eine höfliche Geste, mit der ich ihr zu verstehen geben soll, dass ich an ihre baldige Genesung glaube.

(Ich hätte die Blume lieber aus dem Fenster geworfen. Ließ es aber.)

Eisenelle saß aufrecht in ihrem Bett, das so groß ist wie ein Boot und von Vorhängen aus Goldkettchen eingerahmt wird.

Sie sah eigentlich ganz munter aus.

Nachdem sie alle aus dem Zimmer geschickt hatte, krächzte sie: »Ich habe dir bisher nicht gesagt, auf welcher Grundlage das Gesetz beruht. Da du so schnell lernst und so verständig bist, ist es jetzt an der Zeit, dich aufzuklären.«

Ich schluckte. Ist die vertrottelt.

»Willkürliche Schicksalsschläge und wahnwitzige Abenteuer«, fuhr sie fort. »Das Gesetz ist eine Nachahmung des Lebens.«

Mehr sagte sie nicht. Ich verstand nichts, lächelte dennoch kühl und starrte ins Leere, als sei ich tief in Gedanken versunken.

Gleich darauf zuckte ich zusammen. Sie lachte. Ein grausiges, altes Keckern, wie du dir vorstellen kannst, und dabei klackerte ihr Perlengebiss.

»Meine liebe Claidissa«, sagte sie, als sie wieder sprechen konnte. »Es ist gut möglich, dass sehr bald du die Lesung der Gesetze übernehmen musst. Ich bin krank. Mir wird das alles zu viel. Also bereite dich darauf vor. Stärke dich. Mach einen Spaziergang, Claidissa. Geh durch unsere spektakuläre Stadt, schau auf unseren schönen Fluss, vertrete dir die Beine. Und denk über all das nach, was ich dir gesagt habe. Schon bald bist du eine Wölfin des Turms. Mach dir Gedanken über die mächtigen Würfel, die kostbaren, seltenen Bücher, die Kästen mit den Namen darin – über all das, was unser Leben bestimmt.«

Zitternd versprach ich: »Ja, verehrte Dame.«

Ihr Wort war schließlich Gesetz. Ich würde sie ablösen müssen. Und ich sollte spazieren gehen! (Was bedeutete, dass ich in einem dieser Beförderer den Turm hinabfahren musste.)

Gut, dann gehorche ich eben. Ich gehe spazieren. Das kann ich. Aber ich kann nicht aus den Büchern lesen oder das Gesetz sprechen. Da kann ich genauso gut auch gleich in den Fluss springen.

Ich glaube, ich habe noch nicht erwähnt, dass ich jetzt immer diese Prunkgewänder tragen musste. Die Leute sollten ja gleich erkennen, wer ich war – die zukünftige WP. Kein Wunder, dass niemand mit mir sprechen wollte oder mich anschaute.

Diese Gewänder waren so schwer. Ich fühlte mich darin wie ein Käfer oder eine Echse, über und über mit Schuppen bedeckt oder von einem Panzer umschlossen. Mein Haar steckten sie mir immer mit einem goldenen Kamm hoch und das ziepte. Ich erkannte mein eigenes Spiegelbild nicht mehr. Aber das entsprach ziemlich genau meiner Grundstimmung.

Diesmal sah ich mich in der Stadt sehr viel genauer um. Wieso, weiß ich nicht. Vielleicht aus schlechtem Gewissen, weil ich nicht in den Fluss gesprungen war.

Die Menschen, die in kunstvoll verzierten Sänften an mir vorübergetragen wurden oder manchmal auch, von trippelnden Sklaven gefolgt, zu Fuß gingen, sahen alle gleich aus. Sie sahen aus wie ich. Aufgetakelt, steif und sehr unglücklich.

Na ja, man muss nicht sonderlich helle sein, um zu verstehen, weshalb. Sie blieben in dieser Stadt wohnen, weil sie sich verpflichtet fühlten – andernfalls wären sie ja wohl nicht mehr da. Aber selbst wenn das Los des Gesetzes noch nie auf sie selbst oder einen ihrer Verwandten und Freunde gefallen war, mussten sie doch viermal täglich damit rechnen, dass es sie treffen könnte und vermutlich irgendwann auch treffen würde.

Ich schlenderte vom Wolfturm zum Fluss hinunter und dann am Ufer entlang – am Kai, wie sie hier sagen –, wo an schweren Ketten riesige, bedrohlich aussehende Schiffe vor Anker liegen. Der Fluss wird nach einer Weile wieder breiter, sodass man das andere Ufer nicht mehr erkennen kann. Genau wie Nemian es beschrieben hatte.

Der Regen plitscherte trübsinnig vor sich hin.

Ich sah jemanden in den eisig grauen Fluten schwimmen.

Ich wusste, wer das war. Wer es sein musste. Der, an dessen Nummer ich mich nicht erinnern konnte.

Tränen strömten mir übers Gesicht. Ich ballte die Hände zu Fäusten.

Das war doch alles wahnsinnig. Ein Albtraum.

Einer der Sklaven eilte herbei und hielt mir ein Taschentuch hin, damit ich meine Tränen trocknen konnte. Der mit dem Regenschirm, den ich fortgeschickt hatte, schlich sich wieder näher.

Ich herrschte sie an: »Lasst mich allein!«

Ihre Gesichter blieben ausdruckslos und nichts sagend.

»Also gut. Ihr bleibt hier. Ich gehe nur rasch mal auf diesen Platz da. Ich muss … etwas kaufen. Folgt mir bloß nicht. Ich brauche euch im Moment nicht.«

Als ich davonging, blieben sie zu meinem Erstaunen tatsächlich stehen. Sogar der Wächter mit dem Gewehr.

War es so einfach?

Ich war gar nicht auf die Idee gekommen, dass sie meinen Befehlen Folge leisten würden. Bedeutete das, ich konnte mich wegschleichen und davonrennen?

Aber wohin? Ich hatte gesehen, dass rings um die Stadt nichts als graue, karge Wüste lag. Außerdem war fraglich, ob ich aus der Stadt entkommen konnte. Im Haus hatten sie sich nicht die Mühe gemacht, mich zu verfolgen. Inzwischen weiß ich, warum. Jizania hatte dann dafür gesorgt, dass mir und Nemian die Flucht gelang. Aber hier war das etwas anderes, wenn die Gründe auch dieselben waren.

Ich überquerte die Straße und betrat den Platz. Vielleicht sollte ich doch über Fluchtmöglichkeiten nachdenken …?

Auf der anderen Seite des Platzes hatte sich eine Gruppe

von Leuten versammelt. Das verblüffte mich. Ich hatte hier bisher noch keine größeren Menschenmengen gesehen.

In der Stadt benutzte man Geld. Ich hatte eine ganze Truhe voll blaugrüner Scheine bekommen, die gleichen, wie sie auch Nemian bei sich getragen hatte. Obwohl alle Bürger der Stadt königlicher Herkunft zu sein schienen, stellten einige von ihnen Waren her – wenn auch keine besonders ansehnlichen. Diese Sachen verkauften sie sich gegenseitig. (Um Kleidung, Nahrung und die Dinge des täglichen Bedarfs kümmerten sich Sklaven, die natürlich nicht entlohnt wurden.)

Ob sich diese Leute wohl um einen Verkaufsstand scharten? Sie wirkten sehr interessiert, was ebenfalls ungewöhnlich war.

Sie umringten einen auf dem Boden sitzenden Mann. Zwei weitere Männer lehnten gegen einen Pfeiler. Der Boden hier war nicht zum Sitzen gedacht, ebenso wenig wie die Pfeiler zum Anlehnen bestimmt waren. Bei den drei Männern schien es sich außerdem um Sklaven zu handeln, denn ihre Kleidung glitzerte ganz und gar nicht.

Beim Näherkommen sah ich auch Kinder in den hier üblichen, grässlich engen, edelsteinbesetzten, käferpanzerähnlichen Gewändern um den Mann herumstehen. Sie schauten neugierig.

Plötzlich jubelten sie laut auf, als ein gleißender Blitz aufflammte – gelb und blau – und gleichzeitig Unmengen funkelnder Sternchen in die Luft schossen …

Ein Feuerwerk! Nach Nemians Beschreibung erkannte ich es sofort. Angeblich brannten sie in dieser Stadt ja dauernd welche ab. Ich hatte allerdings noch nie eins gesehen.

Im Hintergrund sah ich Sklaven, die dem am Boden sitzenden Mann ebenfalls zuschauten.

Ein zischelndes *krkk* ertönte und die Kinder staunten: *Ooooh!*, wie richtige Kinder. Und plötzlich erhob sich ein Flammenvogel in die Lüfte. Er war smaragdgrün und lila und dann faltete er ganz langsam seinen goldenen Fächerschwanz auf…

Ein Pfau. Ein Feuerwerkspfau.

Ich war mittlerweile bei der Gruppe angelangt. Nein. Als ich die drei Männer jetzt aus der Nähe sah, wurde deutlich, dass sie nicht aus der Stadt stammen konnten. Sie waren alt und *verdreckt*. In ihren langen Haaren und den Zottelbärten hingen Zweige und Dreckklumpen, als wären es Vogelnester. Ihre Gesichter ähnelten zerknitterten Putzlumpen. Und ihre Kleidung bestand tatsächlich aus Lumpen. Schichten von Lumpen und darüber mottenzerfressene, alte Pelzjacken.

Als der sitzende Alte jetzt seine in schmutzigen, mehrfach gestopften Handschuhen steckenden Hände aufeinander zubewegte, erblühte in der Luft zwischen ihnen eine farbige Kugel. Vögel flatterten daraus hervor, weiße Tauben. Als sie zum Himmel aufflogen, dachte ich: *O Gott, was soll hier aus ihnen werden?* Ich hatte in der Stadt nämlich bisher kein lebendiges Tier gesehen, nur solche aus Stein. Noch nicht einmal Fliegen. Und überhaupt keine Bäume oder Blumen – nur die roten Blüten, die Unsterblichen.

Doch die Vögel lösten sich in Licht auf. Sie waren nicht echt gewesen.

Natürlich erinnerte mich das an den lebenden Spatz, den Argul aus Tails Ohr hervorgezaubert hatte.

Aber ich wollte nicht mehr weinen.

Die Kinder zeigten kichernd auf den Boden. Zwischen ihren Füßen hoppelten kleine Kaninchen aus Licht. (Ob sie jemals echte Kaninchen gesehen hatten?) Selbst einige der Erwachsenen lächelten. Ja, sogar – mein Gott – einer der Sklaven. Na so was!

Der dunkelhäutigere der beiden alten, an die Pfeiler gelehnten Männer musterte mich mit merkwürdigem Blick. Dem anderen entfuhren plötzlich drei Wörter. Ziemlich schmutzige Wörter.

Die Menge schenkte ihm keine Beachtung. Ihnen ging es wie mir damals, als ich diese Wörter zum ersten Mal gehört und nicht gewusst hatte, wie unanständig sie waren.

»Tronkender okkiger Grulps!«

Darauf fuhr der dunkelhäutige Alte herum und schlug ihm mit überraschender Wucht in den Magen.

»He, was soll das, Mehm? Sie ist hie …«, schrie der andere beleidigt.

»Dann mach keine Szene, Mensch!«

Ich stand nicht mehr auf dem Boden. Ich schwebte über allem, höher und höher. So wie die magischen, chemischen Flämmchen, deren Herstellung Argul ohne Zweifel von seiner Mutter, der Naturwissenschaftlerin mit magischen Kräften, gelernt hatte.

Der Tattergreis rappelte sich schwerfällig auf. Sein Bart war mit Abstand der widerlichste der drei. Es dauerte einige Zeit, bis er sich, steif und unbeholfen, hochgehievt hatte.

Die Kinder bettelten laut um weitere Kunststücke. Stattdessen verteilte er mit Karamell überzogene Äpfel, die wahrscheinlich aus Peshamba stammten. Die Erwachsenen – und Sklaven – bekamen in buntes Papier gewickelte peshambanische Pralinen.

Dann kam er grunzend, schnaufend und lüstern schauend zu mir herübergehumpelt, wobei sein scheußlicher Dreckbart hin und her wackelte. Als er vor mir stand, musste ich den Kopf in den Nacken legen, um ihm in die Augen schauen zu können.

Im Hintergrund klatschten sich Mehmed und Ro auf die Schultern (Staubwolken wallten auf) und schütteten sich vor Lachen aus. Die Kinder tollten herum und bissen gierig in ihre Karamelläpfel. Die Erwachsenen wickelten staunend die Pralinen aus. Es war rührend. Offensichtlich hatten sie noch nie etwas so Schönes bekommen, erst recht nicht als Geschenk.

»Na, Claidi-schafi-bääh?«, sagte der meisterhaft verkleidete Argul mit der zentimeterdicken Schminkschicht, dem Dreck und dem Pferdehaar im Gesicht. »Du hast mal wieder mächtigen Ärger, was?«

»Genau, Argul.«

»Nicht weinen. Ich habe dich noch nie weinen sehen.«

»Das ist der Regen.«

»Aber klar doch.«

Wir flohen vor dem Regen unter das Vordach eines Gebäudes und redeten so hastig aufeinander ein, als hätten wir keine Zeit. Aber wie heißt es doch so schön auf der Uhr in Peshamba? *Für alle Dinge bleibt genügend Zeit.*

(Durch den Regen sah ich meine Sklaven und den Wächter, die weiterhin bewegungslos vor dem Platz warteten. Vermutlich beobachteten sie, wie ich mich mit diesem zerzausten Greis unterhielt, und fragten sich, was sie davon halten sollten.)

»Weshalb bist du mir überhaupt gefolgt? Du warst doch so wütend…«

»Verraucht. Ich habe ihm nicht getraut. Deshalb. Es hat eine Weile gedauert, bis wir hier waren. Er hat so viel von seiner fabulösen Stadt und dem mächtigen Wolfturm geschwärmt. Der ist ja auch nicht zu übersehen, was? Ein echter Schandfleck. Wölfe sind in Wirklichkeit ganz anders.«

»Ja… wie sind sie denn?«

Er lachte. »Immer noch die alte Claidi, was? Wölfe sind mutig und treu. Sie kämpfen nur, wenn sie müssen. Sie mögen einander und halten zusammen. Die Hulta. Das sind Wölfe.«

»Argul…«

»Wie ich sehe, hast du dich von deinem Bewacher losgeeist. Wir könnten einfach davonschlendern, vielleicht…«

»Nein, daran hab ich auch schon gedacht. Die lassen mich nicht aus den Augen. Wenn ich irgendwohin gehe, kommen sie mir nach. Es ist dieses verfluchte Gesetz.«

»Das Risiko müssen wir eingehen. Ich habe Sirree mitgebracht. Ja, es geht ihr gut. Du hast ihr gefehlt.«

»Ich habe sie auch schrecklich vermisst. Oh, Sirree…«

Ich starrte diesen Schmuddelgreis an, der ER war.

Durch die Löcher in seinem zerfetzten Hemd blitzte der Anhänger aus Glas.

»Ich kann nicht, Argul. Es ist zu gefährlich.«

»Hasenfuß.«

»Kann sein. Aber auch deinetwegen. Ich will nicht, dass dir etwas zustößt.«

Er legte eine Hand auf den Anhänger. »Siehst du das?«, fragte er.

»Ja. Ich erinnere mich an den Anhänger.«

»Weißt du noch, wie ich damals draufschaute, als ich dir und Nemian und dem Schafler zum ersten Mal begegnete?«

»Ja.«

»Man kann Dinge darin sehen. Meine Mutter... sie sagte, falls ich jemals einer Frau begegne, für die ich etwas empfinde...« Er stockte.

Er war verlegen. Es war eine unmögliche Situation. Ich sah zu Boden, um es ihm leichter zu machen. Da fuhr er fort: »In diesem kleinen Flakon, den du für einen Anhänger aus Glas hältst, befindet sich eine Chemikalie. Sie reagiert auf meine Gefühle. Ich meine, sie erkennt, ob eine Empfindung echt ist. Und sie hat reagiert, Claidi.«

Er streifte sich die Kette mit dem Anhänger-der-keiner-war über den Kopf und hielt ihn mir auf der flachen Hand entgegen. Ich sah, dass sich das Innere des Glases-das-keins-war milchig verfärbt hatte und dass sich darin etwas bewegte. Mehr sah ich nicht. Aber ich wusste sofort, dass ich auf Liebe blickte.

Ich dachte an Mehmeds erstaunten Aufschrei, als er sich damals vorgebeugt hatte und es ebenfalls gesehen haben musste, und daran, wie er daraufhin sein Messer in die Luft geschleudert und mit den Zähnen aufgefangen hatte.

»Argul, ich habe nicht den Mut mitzugehen. Ich meine, ich würde ja...«

»Dasselbe hast du schon einmal gesagt, und schau, was passiert ist.«

»Weißt du«, fragte ich, »was das ›Gesetz‹ ist?«

»Ja. Wir sind Fremde. Bei uns können sie sich ausweinen.

Ich weiß alles über dieses Gesetz und seine …« Er benutzte ein Wort, das ich noch nie gehört hatte.

»Ja dann …«, sagte ich stockend, »dann weißt du ja …«

»Claidi«, beschwor Argul mich. »Glaubst du denn wirklich, dass zwei wirbelnde Würfel und ein paar alte Schwarten, in denen lauter Mist steht, die Macht haben, eine ganze Stadt in Angst und Schrecken zu versetzen? Du hast die Kinder gesehen und die anderen, die um uns herumstanden. Würfel sind nicht böse. Und Bücher genauso wenig. Nur Menschen können böse sein. Es sind die Menschen, die Angst verbreiten.«

Plötzlich machte etwas *klick* in meinem Kopf. Anders kann ich es nicht beschreiben. Ich war sprachlos.

»Claidi …«

»Warte mal kurz … ähm …«

Er wartete. Er mag mich. Er glaubt, dass ich das Recht habe, mir den Kopf zu zerbrechen und mir meine eigenen Gedanken zu machen.

Dann redete ich sehr schnell auf ihn ein. Er hörte zu.

Als ich fertig war, sagte er: »Wärst du doch ein bisschen dümmer, Claidi. Dann wäre alles einfacher.«

Die Kinder spielten trotz des Regens auf dem grauen Platz. Sie tollten juchzend und lachend herum. Die Erwachsenen, den Mund voller Schokolade, hinderten sie nicht daran.

Inzwischen kann ich gut verstehen, warum sich Nemian außerhalb der Stadt so vergnügungssüchtig verhalten hat.

Ich habe Mitleid mit ihm. Und mit seinem anmutigen Mondmädchen auch.

Mehmed und Ro standen in unserer Nähe im Regen, tropfnass und neugierig.

»Also gut.« Argul nickte. »Versuch es. Aber wenn es nicht …«

Ich schüttelte den Kopf.

Er zog mich an sich und küsste mich. Durch diesen Bart. Und trotzdem … (Sie jubelten, pfiffen, riefen: »Hultai Chura!« Das heißt: Liebchen des Anführers. Es klang so weit entfernt. Dann verstummten sie, müde.)

Ich schreibe dies in der allergrößten Eile. Im »Glasanhänger« habe ich die Liebe gesehen. Sie ist leicht zu übersehen. Und das, obwohl sie so groß ist. Sie ist wie ein Wunder. Auch wie ich ihn gefunden habe. Als hätte mich eine innere Stimme zu diesem Platz bestellt.

Und falls mein Vorhaben heute Abend misslingen sollte, falls ich sterben sollte, bleibt mir doch dieser Kuss.

Es ist kein bisschen so, wie wenn man sich verbrüht – es ist, als hätte man Flügel.

Das Feuerwerk

Als ich mittags zu Eisenelle in das Zimmer kam, musterte sie mich von oben bis unten und sagte gleich: »Der Ring da ist aber neu.«

»Ich habe ihn von meiner Mutter, Abendröte von Stern, geerbt. Prinzessin Jizania hat ihn mir gegeben.«

»Ist das ein Diamant? Was für eine primitive Fassung. Aber er gefällt mir. Er sieht aus wie ein … ein Stern. Wie überaus passend.«

»Danke.«

»Sie muss dich geliebt haben«, stellte Eisenelle mit Bedauern fest.

Ich weiß nicht, ob sie mich liebte oder überhaupt Abendröte hieß. Argul hat mir den Ring geschenkt, den die peshambanischen Kinder ihm zurückbrachten. Und ja, *er* liebt mich tatsächlich. Das weiß ich. (Und der Ring gehörte seiner Mutter, sodass ich nur ein kleines bisschen gelogen habe.)

Ich sah aufmerksam zu, wie Eisenelle die mittägliche Lesung durchführte und weitere haarsträubende Gesetze erließ, die ich noch nicht einmal aufschreiben möchte.

Als ich zu meinem Spaziergang aufgebrochen war, hatte ich mir noch gewünscht, Eisenelle würde möglichst lange weitermachen. Aber als sie jetzt die Lesung beendet hatte, sagte ich: »Sie sollten schleunigst wieder zurück ins Bett, verehrte Dame. Sie sehen wirklich angegriffen aus.«

Das stimmte nicht. Sie sah abstoßend rüstig aus, mit eiserner Gesundheit gesegnet.

Sie sah mich aus zusammengekniffenen Augen an.

»Ach wirklich, Claidissa? Findest du?«

»Sie haben selbst gesagt, verehrte Dame, dass Sie mich für diese Aufgabe ausgebildet haben. Jetzt kann ich mein Amt übernehmen.«

Erinnerst du dich an meine Beschreibung der Alligatoren? Diese riesig langen, zahngespickten Mäuler? Genau so sah ihr Lächeln aus. Es schien ihr Gesicht in zwei Hälften zu spalten. Und ihre giftigen Augen leuchteten.

»Ach, Claidissa, das wäre zu lieb von dir. Ein paar Tage im Bett würden mir sehr gut tun. Und du hast inzwischen ja schon so viel über das Gesetz gelernt – vielleicht kann man ganz auf mich verzichten.«

Ich war mir nicht sicher gewesen, ob es klappen würde. Immerhin war mir die Idee vor gerade mal einer knappen Stunde gekommen. Und selbst wenn sich meine Schlussfolgerungen als richtig erweisen sollten, konnte Eisenelle trotzdem alles so geplant haben, um mir zu schaden. Dieses Risiko war ich bereit einzugehen.

Es war wie damals, als ich den »Banditen« gedroht hatte, ihnen die Nase abzubeißen. Mich konnte nichts aufhalten. Nichts mehr.

Ich machte einen tiefen Knicks vor ihr.

»Ich glaube, verehrte Dame, es wäre am besten, wenn ich gleich hier im heiligen Zimmer bliebe und mich vorher etwas mit den herrlichen Büchern und den anderen Dingen vertraut machte.«

»Tu das, Claidissa.« Ihr Gesicht verschloss sich wieder. Ihre Stimme klang plötzlich hohl und alt, als sie hinzufügte: »So viele Jahre habe ich auf diesen Augenblick gewartet.«

Damit drehte sie sich um und stolzierte aus dem Zimmer. Ihr Stock knallte auf dem Boden wie Gewehrfeuer.

Eine Flutwelle aus Panik rollte heran.

Ich ignorierte sie. Das ist manchmal das einzig Sinnvolle.

»Hier ist es eisig kalt«, beklagte ich mich bei dem mir am nächsten stehenden Sklaven. Das stimmte nicht. Wenn überhaupt, war es eher zu heiß, wegen der vielen Lampen. »Bring mir doch zwei, drei glühende Kohlenbecken.«

Sobald die glühend heißen Kohlenbecken im Zimmer ihre Hitze verstrahlten, schickte ich die Sklaven fort. Mir blieben noch etwa sieben Stunden bis zum Sonnenuntergang. Und sollte mein Vorhaben tatsächlich gelingen, sogar noch ein paar zusätzliche Stunden bis Mitternacht.

Würde sie unerwartet zurückkehren? (»Ich fühle mich auf einmal viel besser!«) Nein, das glaubte ich eigentlich nicht. Nach nunmehr fünfzig Jahren im Amt hatte sie genug. Wahrscheinlich auch von sich selbst.

Denn falls meine Überlegungen richtig waren – *falls* …

Sie hatte mich so oft gelobt und behauptet, ich würde das Gesetz perfekt beherrschen.

Na gut, jetzt *würde* ich es beherrschen.

Durch das Haus war ich an harte Arbeit gewöhnt. Und es war harte Arbeit. Unzählige Male kletterte ich die Rollleiter hinauf und hinab, holte die Kästen aus den oberen Regalfächern, dann die weiter unten stehenden und schließlich kniend die von ganz unten heraus. Dabei achtete ich darauf, sie wieder genauso einzuräumen wie zuvor. Das heißt – beinahe.

Ein-, zweimal ging ich in das Zimmer nebenan. Vor allem, um mich abzukühlen. Es gab dort ein Fenster, und als ich hinaussah, stellte ich zu meiner Überraschung fest, dass das graue Wetter umgeschlagen war. Die Wolken trieben langsam den Fluss hinab. Der Himmel leuchtete jetzt zartblau.

Das war gut. Durch das Fenster konnte ich erkennen, wie viel Zeit mir bis zum Sonnenuntergang blieb.

Sklaven waren keine sichtbar. Der Korridor, der zu Eisenelles Gemächern führte, war leer – jedenfalls fast. An der Wand sah ich das Gewehr meines Bewachers in Weiß lehnen, der bei meinem Sklaven wartete. Im Zimmer herrschte eine Gluthitze. Wie in einem Ofen. Aber ich schuftete unverdrossen weiter.

Als ich später noch einmal in das Außenzimmer ging, wo es vom Westen her durchs Fenster rosa hereinzuleuchten begann und ich sogar die Sonne niedrig über dem Fluss glühen sah, hielt ich es schließlich für klüger, aufzuhören.

Ich baute mich mit arroganter und selbstsicherer Miene in der Mitte des Zimmers auf und wartete auf das Erscheinen der Gesetzessklaven.

Sie waren auf die Minute pünktlich. Verspätungen konnten sie sich nicht leisten.

Aus den eierbecherartigen Würfelbehältern ertönten kreiselnde Geräusche. Das war die Aufwärmphase.

Ein klein wenig Angst blieb doch, sie könnte zurückkommen, um mich bei der Lesung zu überwachen. Sie kam nicht. Andernfalls wäre das ein Zeichen dafür gewesen, dass ich mich vielleicht geirrt hatte. Vielleicht aber auch nicht. Ich werde Eisenelle nie wirklich durchschauen, genauso wenig wie Jizania. Womöglich wussten sie, dass sie sich nicht ändern konnten, wählten in mir aber eine Nachfolgerin aus, die das Spiel nicht mitmachen würde und die Kraft hatte, zu tun, was ich getan habe.

Ich hoffe, dass es so war. Ihnen zuliebe.

Die Sklaven kamen nacheinander ins Zimmer und wir postierten uns voll religiöser Andacht vor den Würfeln.

Die Würfel wirbelten herum. Dann wurde es still.

Der Augenblick war gekommen.

Ich beugte mich über die Würfel und betrachtete sie eingehend. Dann blieb ich noch eine Weile nachdenklich stehen und zögerte etwas, bevor ich zu den Büchern ging. Ich blätterte raschelnd darin herum, las, blätterte wieder, schüttelte den Kopf. Ich runzelte die Stirn. Schließlich begann ich, mit majestätischer Miene zu sprechen.

Die Sklaven schrieben alles auf.

Es gab einen Unterschied. *Ich* nannte ihnen sämtliche Nummern *und* Namen, sodass sie nicht in den Kästen nachsehen mussten. Die Nummern und Namen hatte ich vorher ausgesucht. Die Sklaven widersprachen nicht.

Ich weiß nicht einmal mehr, was ich gesagt habe. Oder doch? Claidis Gesetz …

Einen Mann schickte ich in die Stadt, um all die grottenhässlichen Töpfe einer bestimmten Töpferin zu kaufen und ihr zu versichern, wie wunderschön er sie fände. Ein anderer sollte bei sich zu Hause sämtliche Kerzen anzünden und anschließend all seine Freunde zum Essen einladen. Und im Gegenzug mussten sie ihn zu sich einladen.

Einer Frau befahl ich, sich zu verlieben, daran erinnere ich mich noch. Und sechs Familien sollten ihren Kindern bequeme, weite Kleidung anziehen und dann mit ihnen spielen.

Zwei Männer bekamen den Auftrag, in andere Städte zu reisen, dort Pflanzen und Tiere zu kaufen, damit zurückzukehren und sie den anderen Leuten zu zeigen und sich um sie zu kümmern. Ein Paar erhielt die Order, Gärten und Obstplantagen anzulegen.

Zwei oder drei andere Leute forderte ich auf, sich etwas wirklich Witziges auszudenken und dann lauthals darüber zu lachen.

Zugegeben – besonders originell war das nicht. Aber die Gesetze dieses Sonnenuntergangs waren auch nicht dümmer als die der vergangenen Abende. Und sie richteten vielleicht weniger Schaden an.

Niemand hatte etwas dagegen einzuwenden. Die Sklaven trotteten mit ihren Aufträgen davon, und sobald sie verschwunden waren, schloss ich die Tür zum Zimmer und fuhr mit meiner Arbeit fort.

Ich glaube, ich werde noch oft davon träumen. Wie ich all die schwarzen Kästen zu den Kohlenbecken schleppte, sie umkippte, die Karten mit den Nummern und Namen hineinflattern ließ, um dann zuzusehen, wie sie lodernd verbrannten und für immer verschwanden.

Vielleicht träume ich aber auch von den unzähligen Seiten, die ich – eine nach der anderen – aus den kostbaren Büchern riss, den einzigen, die es in der Stadt gab, wie Eisenelle nicht müde wurde zu betonen. Seite um Seite aus steifem Pergament, das manchmal mit einer merkwürdigen braunen Flamme verbrannte.

Funken stoben zur Decke, die mich an Arguls Zauberei erinnerten und an die Uhr in Peshamba.

Bald schmerzten meine Arme und mein Rücken. Mir tat der Hals weh und der Qualm brannte mir in den Augen.

Hungrig war ich auch. Aber nicht sehr.

Dann, endlich, war alles geschafft. Es blieb nur noch eine letzte Sache zu erledigen.

Ich nahm eines der ölgefüllten Gläser mit dem darin brennenden Docht aus einem Lampenhalter und ging zu den Würfeln. Sorgfältig und gründlich brannte ich die darauf gemalten Zahlen weg, bis auf jeder der sechzehn Seiten nichts als ein Rußfleck zurückblieb. Jetzt konnten sie herumwirbeln, so viel sie wollten. Es hatte keinerlei Bedeutung mehr.

Zum Schluss schrieb ich mit der Flamme noch eine Botschaft an die schwarze Wand. Ich brannte die Buchstaben so tief ein, bis sie weiß zum Vorschein kamen, sodass der Satz sehr gut lesbar und sehr schwer wieder zu entfernen war.

Er lautete folgendermaßen: *Dies ist das Gesetz des Wolfturms. Fortan soll es NIE WIEDER ein Gesetz geben.*

Darunter setzte ich meinen Namen: Claidissa von Stern. Und dann dachte ich: WAS HABE ICH DA GETAN???

Doch es war zu spät. Also nahm ich meine goldene Tasche mit dem Buch und zehn gestohlenen Tintenschreibern und Stiften darin, verließ das Zimmer, durchquerte das Nebenzimmer und ging dann den Gang hinunter. Meine Sklaven sowie der weiße Bewacher mit dem Gewehr warteten wie üblich am Ende des Ganges. Ich glaube, sie hatten geschlafen.

Mittlerweile war es tiefste Nacht. Die Fenster waren schwarz. Aber über der Stadt sah ich Sterne.

Ich kannte den Weg zum nächsten Beförderer. Die Sklaven und der Bewacher trotteten hinter mir her. Mittlerweile waren es sieben Sklaven. Ihre Zahl war sicher erhöht worden, weil ich von nun an aus den Würfeln lesen würde.

»Ich denke, ich werde vor der Mitternachtslesung einen kurzen Spaziergang machen«, sagte ich leichthin. Also drängten wir uns alle in den Beförderer und ratterten ins Erdgeschoss.

Als wir an der kleinen Pforte ankamen, durch die ich meistens nach draußen ging, hörten wir seltsame Laute durch die Straßen hallen.

Die Sklaven reagierten nicht, doch mein Bewacher griff nach seinem Gewehr.

»Schon in Ordnung«, beruhigte ich ihn. »Das ist nur Musik. Und jemand, der singt.«

Hatte ich jemandem befohlen zu singen? Wahrscheinlich.

Von anderswo hörte man – Hundegebell. Ich hatte nicht gewusst, dass es in der Stadt Hunde gab. Und dann Gelächter, aus vielen Kehlen.

Hinter zahlreichen Fenstern leuchtete es ungewohnt hell. Oder zumindest heller, wärmer. Oder so.

Ich sagte mit fester Stimme zu den sieben Sklaven: »Ihr bleibt bitte hier. Setzt euch. Ihr solltet euch ausruhen.« Worauf sie sich auf einer Bank neben der Tür niederließen. Zu meinem Bewacher sagte ich: »Ich bewundere dein Gewehr schon seit einiger Zeit. Dürfte ich es mir mal ansehen?« Der Dummkopf starrte mich mit großen Augen an und händigte mir dann seine Waffe aus. Schließlich war ich die WP. Ich bekam alles, was ich wollte.

Ich behielt das Gewehr allerdings nicht lange in den Händen. Weil ich mich nämlich gleich umdrehte und es Argul reichte, der – wie verabredet – neben der Tür wartete.

»Du hast dir Zeit gelassen, Claidibääbää.«

»Ich hatte dich ja gewarnt. Es hat unendlich lang gedauert.«

»Bist du so weit?«

»Ja.«

Argul hatte seine Verkleidung abgelegt. Er sah ... aber ich hatte jetzt keine Zeit, ihn anzusehen.

Argul schob den Bewacher sanft in den Wolfturm zurück. Der Mann sah aus, als glaubte er fest daran, gleich aus einem Traum zu erwachen.

Bis Argul die Tür hinter ihm zumachte.

Ro und Mehmed zogen mich auf ein Pferd – was in meinem panzersteifen Stadtgewand nicht einfach war, aber irgendwann saß ich doch im Sattel. (Mit aufgeplatztem Kleid.) »Sirree?«, flüsterte ich. »Sirree, du bist es wirklich ...« Und Sirree schnaubte mich sanft aus samtigen Nüstern an.

Im nächsten Moment saß auch Argul auf seinem Pferd, und wir ritten so schnell wie die Nacht, die aus schwarzen Pferden gemacht schien. Wir flogen dahin.

Einmal sah ich mich um. Die Pforte im Turm war nach wie vor verschlossen. Nichts rührte sich.

Im rasenden Galopp erblickte ich immer wieder diese schwarzen Gewehrspitzen, die sich drehten und uns beobachteten. Jedes Mal duckte ich mich, aber nichts geschah.

Die Bürger der Stadt hatten vergessen, selbstständig zu denken. Sie würden es wieder lernen müssen. Ich hoffte, die Sklaven würden es auch lernen.

Ich versuchte, mit Argul zu sprechen, während wir Hals an Hals durch hallende Felsschluchten galoppierten, in denen die Hufe der Pferde wie Hammerschläge donnerten.

»Es kann natürlich auch sein … dass sie, wenn ich sie falsch eingeschätzt habe … Eisenelle … also, dass sie so weitermacht wie bisher …«

»Ich kann dich nicht hören, Claidi«, brüllte Argul zurück.

Also musste ich mir die Antwort selbst geben. Ja, möglich ist es. Wenn meine Vermutung zutrifft, dann hat sie seit Jahren nicht mehr aus den Würfeln und Büchern gelesen. Sie nannte einfach willkürlich eine Nummer und dazu ein Gesetz – das sie sich ausgedacht hatte. Und sie dachte sich reichlich gemeine Sachen aus. (Außer wenn es Nemian oder sie selbst betraf. Sie verheiratete ihn mit einem Mädchen, das er wirklich begehrte, und ließ ihn nach einem Mädchen suchen, das sie wiederum begehrte – mich.)

Sie war alt und verrückt. Trotzdem könnte ich schwören, dass sie wusste, was ich vorhatte. Sie ließ mir gar keine andere Wahl. Erst jagte sie mir Angst ein und machte mich wütend. Und dann ließ sie mich in diesem Zimmer allein. Im Grunde gab sie mir selbst alle Informationen, die ich benötigte, um es zu tun.

Dennoch sehnte ich mich nach einem Zeichen, das mir sagte, dass ich richtig gehandelt hatte.

Wir ließen die Stadt viel schneller hinter uns, als ich es für möglich gehalten hatte. Vielleicht ist sie gar nicht so groß, wie ich angenommen hatte. Sie war wohl nur für mich zu groß gewesen.

Das sternenhelle Land wies uns den Weg zu anderen Orten. Zum Lager der Hulta, zu Blurn und Tail und Dagger.

Sie hielten sich jenseits des Breitflusses auf, der bloß ein Fluss war. An einem Ort, an dem ich ausruhen und ausatmen und einfach nur sein kann. Einem Ort, an dem ich dich nicht mehr belästigen muss. Dich, meine ausgedachte Fantasiegestalt, die du an meiner Seite geblieben bist und mir geholfen hast.

Das sternenhelle Land. Das Ödland, das keines ist.

Auf einer Hügelkuppe machten wir in einem lichten Wäldchen Halt und ließen die Pferde rasten. (Siree hatte sich tapfer gehalten.)

Immer wieder fragte ich mich, ob ich das Richtige getan hatte. Auch jetzt noch. Wie denkst du darüber? Aber als sich mir die Chance zur Flucht bot, wie hätte ich da bleiben können? Andererseits konnte ich sie doch nicht einfach ihrem Schicksal überlassen. Wo ich bin, gibt es eben immer Ärger. Argul hat das gleich gemerkt. (Nemian nie.) Als wir dort auf dem Hügel standen, war es bereits weit nach Mitternacht – der Stunde des Gesetzes.

Argul nahm meine Hand und schüttelte sie heftig. Seine Armreifen klirrten und aus irgendeinem Grund mussten wir beide lächeln.

»Drückt der Ring nicht?«, fragte er.

Wahrheitsgemäß antwortete ich: »Mir kommt es vor, als sei er ein Teil meiner Hand.«

In diesem Moment ertönte ein gedämpftes Donnern, ein Grollen. Ich hätte beinahe aufgeschrien.

»O Gott, Argul. Argul… die Stadt… sie ist explodiert… sie steht in Flammen!«

Wir starrten staunend. Über uns wechselte der nächtliche Himmel rasend schnell seine Farbe: Silber, Scharlachrot, Bernsteingelb, Violett, Gold und Weiß.

Mehmed machte als Erster den Mund auf und brummte fröhlich: »Nicht doch, Claidi. Sieht so aus, als würden sie feiern. Die fackeln da unten mindestens zweitausend Feuerwerkskörper ab.«

Foto: © John Kaiine

Tanith Lee wurde 1947 in London geboren. Nach dem Schulabschluss arbeitete sie als Büro- und Büchereiangestellte, Verkäuferin und Kellnerin. Ein Jahr lang besuchte sie das Art College, kam dann aber zu dem Schluss, dass Schreiben ihr besser liegen würde als Malen. 1968 erschienen ihre ersten Erzählungen. Seitdem schreibt Lee sowohl für Erwachsene als auch für Kinder und verfasst darüber hinaus Skripte für Fernseh- und Radioproduktionen. Ihre Fantasyromane wurden mehrfach ausgezeichnet. »Das Gesetz des Wolfturms« gelangte auf die Auswahlliste des »Guardian Children's Book Award«. Tanith Lee ist seit 1992 mit dem britischen Autor und Maler John Kaiine verheiratet. Das Paar lebt im Süden Englands.

»Das Gesetz des Wolfturms« ist ihr erstes Buch bei C. Bertelsmann.